D0998201

CADILLAC
avec chambre noire
CE:D.S et autres

Robert Ingram / Paul Duncan (éd.)

FRANÇOIS TRUFFAUT

Auteur de films 1932–1984

TASCHEN

HONG KONG KÖLN LONDON LOS ANGELES MADRID PARIS TOKYO

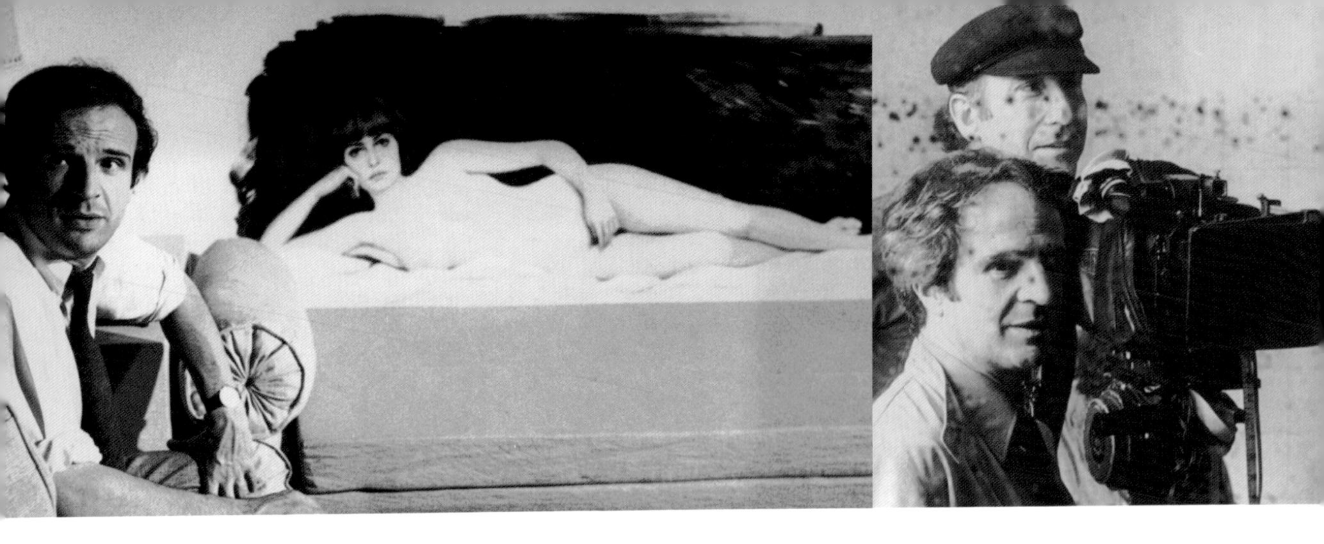

COUVERTURE
Scène de *Jules et Jim* (1962)
Catherine prend les traits de « Thomas » car seuls les hommes sont libres de faire ce qu'ils veulent.

PREMIÈRE PAGE
Sur le tournage de *L'Amour en fuite* (1979)
François Truffaut et Jean-Pierre Léaud ont créé le personnage d'Antoine Doinel.

FRONTISPICE
Sur le tournage des *Quatre Cents Coups* (1959)
François Truffaut et Jean-Pierre Léaud ont fait vivre Antoine Doinel à l'écran pendant vingt ans.

CI-DESSUS, À GAUCHE
Sur le tournage de *La Mariée était en noir* (1967) Truffaut devant une peinture de Jeanne Moreau.

CI-DESSUS, À DROITE
Sur le tournage de *L'Amour en fuite* (1979)
Le directeur de la photographie Nestor Almendros (au fond) a travaillé sur huit films de Truffaut.

PAGE CI-CONTRE
Sur le tournage de *La Nuit américaine* (1973)

4e DE COUVERTURE
Sur le tournage de *Fahrenheit 451* (1966)
François Truffaut.

Illustrations
MK2, Paris : couverture, 1, 2, 6, 9 (2), 10haut, 10bas à droite, 13haut, 25, 33, 34, 35haut, 37 (2), 46, 47, 48, 49, 50bas, 56, 57 (2), 58, 59, 60, 62, 63, 68, 69, 70, 72 (2), 74, 76, 77, 79, 80, 81, 84, 85, 87
British Film Institute Stills, Posters and Designs, Londres : 4 (2), 8, 13bas, 14haut, 14bas à droite, 24, 26, 30, 32, 35bas, 40, 41, 42/43, 50haut, 53, 54, 64, 65, 67haut à gauche, 91bas à droite, 4e de couverture
BiFi, Paris : 5, 10bas à gauche, 14bas à gauche, 15, 22, 31, 36, 66, 71, 86
PWE Verlag/defd-movies, Hambourg : 12, 44, 45 (2), 78, 82, 83, 89
Robert Lachenay Collection, France : 18, 20, 21, 23, 91haut et bas à gauche
Family Truffaut Collection, Paris : 16, 19, 90gauche
Collection Dominique Auzel : 92, 94, 95
Raymond Depardon/Magnum/Ag. Focus : 52, 61
Joel W. Finler Collection, Londres : 28, 88
The Kobal Collection/Film Company : 73
Jean Marquis : 38
Photofest, New York : 67droite

Hohenzollernring 53, D–50672 Köln
www.taschen.com

Conception et maquette : Paul Duncan/Wordsmith Solutions
Coordination éditoriale : Ute Kieseyer, Cologne
Production : Ute Wachendorf, Cologne
Typographie : Sense/Net, Andy Disl, Cologne
Traduction : Anne Le Bot, Paris

Printed in Germany
ISBN 978-3-8228-3210-3

SOMMAIRE

TIREZ SUR LE PIANISTE
REALISATEUR : F. TRUFFAUT
OPERATEUR : R. COUTARD
No 39/3A
Pse 2
NUIT
SONORE

Avant-propos

Sur le tournage de *Tirez sur le pianiste* (1960)

> « Je suis un être de dialogue ; tout en moi combat et se contredit.
> Les Mémoires ne sont jamais qu'à demi sincères, si grand que soit le souci de vérité : tout est toujours plus compliqué qu'on ne le dit. Peut-être même approche-t-on de plus près la vérité dans le roman. »

C'est en ces termes qu'André Gide résume le dilemme auquel sont confrontés les auteurs d'œuvres autobiographiques. La fiction ne lie et ne limite somme toute pas autant que l'autobiographie. L'auteur est plus susceptible de restituer la vérité s'il n'est pas tenu d'être fidèle à la réalité. C'est une conclusion à laquelle Truffaut parvient très tôt dans sa carrière.

Certes, des détails – parfois intimes – de sa vie privée ponctuent nombre de ses films. Ils les inspirent parfois directement. Ainsi, l'épisode où Antoine Doinel prend un appartement en face de chez Colette dans *Antoine et Colette* reflète un fait réel de la vie de François Truffaut, alors épris de Liliane Litvin. Et quand Antoine répond crûment « C'est ma mère, m'sieur ! [...] Elle est morte ! » pour expliquer son absentéisme dans *Les Quatre Cents Coups*, il ne fait que reprendre un épisode véridique de l'enfance de Truffaut. En d'autres occasions, les faits transposés sont légèrement modifiés. Ainsi Antoine rencontre-t-il Colette à un concert, alors que c'est à la Cinémathèque que François a rencontré Liliane. Ce qui préoccupe le plus Truffaut, c'est la justesse et la résonance de l'événement au sein du récit. Ainsi, « certains aspects de l'enfance et de l'adolescence de Truffaut entrent dans ses films non pas au niveau des détails narratifs, mais au niveau des structures et des thèmes sous-jacents, dont la signification va bien au-delà de la dimension personnelle ».

Les films comme le cycle Doinel ou *La Nuit américaine* ne sont pas les seuls à s'inspirer de détails autobiographiques. Comme le note Suzanne Schiffman, « j'ai toujours eu l'impression, et lui-même l'a dit, que Truffaut racontait autant de choses sur lui dans ses adaptations que dans ses scénarios originaux ». Un film comme *Jules et Jim*, adapté d'un roman d'Henri-Pierre Roché, est tout aussi révélateur de la personnalité de Truffaut que les aventures de Doinel. Ce qui a suscité l'intérêt du réalisateur dans l'œuvre de Roché, c'est que la vie de l'auteur rappelle certains aspects de la sienne. Truffaut emprunte au roman les expériences, les personnages, les idées et les attitudes qui font écho à son propre univers. Ainsi le roman et le film partagent-ils

« Les idées sont moins intéressantes que les êtres humains qui les inventent. »

François Truffaut

Scène des *Quatre Cents Coups* (1959)
L'admiration que voue Truffaut aux femmes est présente dans tous ses films. Ici, la mère d'Antoine Doinel (Claire Maurier) est accueillie par le beau-père (Albert Rémy).

des thèmes communs : la viabilité du couple, les modes de vie atypiques, la nature du désir, la sexualité, l'amitié, le plaisir de raconter des histoires et les secrets de la narration.

Cependant, la vie de Truffaut est loin d'être la seule source où ce dernier puise ses idées, ses personnages et ses dialogues. Ceux-ci proviennent tout aussi bien de journaux, de livres, de films ou d'anecdotes racontées par des amis. Tout est bon à prendre et rares sont les sujets tabous, au grand dam de son entourage.

En 29 ans de carrière, de 1954 à 1983, Truffaut a réalisé pas moins de 24 films : trois courts métrages et 21 longs métrages. Les commentateurs ont souvent souligné à quel point ses œuvres se recoupent et forment un tout indissociable. Certains aspects structurels, thématiques et formels se font écho et s'opposent d'un film à l'autre. Afin d'obtenir une vue d'ensemble sur la nature et la portée de son œuvre, il n'est pas inutile d'y distinguer plusieurs catégories de films.

Un premier sous-ensemble s'impose d'emblée : les cinq films retraçant l'enfance, l'adolescence et la jeunesse d'Antoine Doinel, à savoir *Les Quatre Cents Coups* (1959), *Antoine et Colette* (1962), *Baisers volés* (1968), *Domicile conjugal* (1970) et *L'Amour en fuite* (1979). Viennent ensuite ceux que l'on peut sommairement décrire comme des films de genre. L'exemple le plus évident est le film de science-fiction *Fahrenheit 451* (1966), bien que les éléments fictionnels servent, ici comme ailleurs, à véhiculer les

« On a, avec les femmes, les relations qu'on a eues avec sa mère. »

François Truffaut

CI-DESSUS

Scène de *La Femme d'à côté* (1981)

Dans une ambiance joyeuse, Mathilde Bauchard (Fanny Ardant, à droite) se retrouve soudain en petite tenue après que sa robe est restée accrochée à une chaise.

CI-CONTRE

Scène de *L'Homme qui aimait les femmes* (1977)

Quand Bertrand Morane regarde dans la vitrine d'une boutique de lingerie, il aperçoit Hélène (Geneviève Fontanel) et lui donne rendez-vous. Hélène lui confie qu'elle préfère les hommes plus jeunes, réflexion qui incite Morane à écrire ses mémoires.

thèmes chers à Truffaut. Les autres films de «genre» sont plus difficiles à classer. *Tirez sur le pianiste* (1960), *La Mariée était en noir* (1967) et *Vivement dimanche!* (1983) doivent beaucoup aux thrillers américains dont ils sont tirés. Cependant, la difficulté de classification provient du fait que *Tirez sur le pianiste* emprunte des éléments à plusieurs autres genres, tandis que *Vivement dimanche!* constitue, du moins en partie, une comédie romantique à la manière hollywoodienne. De même, *La Peau douce* (1964), *La Sirène du Mississippi* (1969) et *La Femme d'à côté* (1981) sont principalement – mais pas exclusivement – considérés comme des films noirs. D'autres films peuvent être regroupés sur la base de leur caractère «historique». Il s'agit de *Jules et Jim* (1962), *L'Enfant sauvage* (1969), *Les Deux Anglaises et le Continent* (1971), *L'Histoire d'Adèle H.* (1975), *La Chambre verte* (1978) et *Le Dernier Métro* (1980). Mais là encore, cette classification ne peut être que superficielle.

Tout créateur s'inspire, dans une plus ou moins grande mesure, des œuvres d'autrui. Truffaut ne fait pas exception à la règle et reconnaît volontiers sa dette envers des écrivains ou d'autres réalisateurs. L'influence majeure de deux cinéastes aussi différents qu'Alfred Hitchcock et Jean Renoir a fait l'objet d'analyses détaillées, dont la plus significative est celle d'Annette Insdorf. Roberto Rossellini, Ernst Lubitsch et Howard Hawks ne sont que quelques-uns des nombreux metteurs en scène dont Truffaut connaît intimement les films, souvent séquence par séquence. Parallèlement, c'est un lecteur assidu dont les goûts, dénotant un sain éclectisme, vont des classiques comme Honoré de Balzac, Marcel Proust et Jean Genet aux auteurs de thrillers américains comme David Goodis, William Irish (Cornell Woolrich) et Charles Williams. Naturellement, il dévore aussi les ouvrages traitant du cinéma sous toutes ses facettes. Jean Cocteau et Sacha Guitry – à la fois auteurs et réalisateurs – constituent des modèles à ses yeux. Il rêve presque autant d'être écrivain que de devenir cinéaste et ses premières créations, certes restées dans les tiroirs, sont un scénario et deux nouvelles.

Les films de Truffaut ne constituent d'ailleurs qu'une partie de sa contribution à l'histoire du cinéma. Dans les années 1950, il a sans doute joué un rôle tout aussi significatif en tant que critique cinématographique. Ses attaques virulentes contre de nombreux réalisateurs français de l'époque et ses éloges enthousiastes de l'âge d'or du cinéma hexagonal et de certains metteurs en scène américains donnent naissance à un nouveau type de film, à une nouvelle conception de la mise en scène. C'est l'avènement de la Nouvelle Vague, apparue en 1959 avec une série de films d'un genre nouveau. Si tant est qu'une théorie sous-tende ce nouveau mouvement, Truffaut y contribue de manière significative en lançant, après Alexandre Astruc et sa «caméra-stylo», le concept de l'«auteur de films».

En tant qu'individu, Truffaut offre au monde une image complexe et souvent contradictoire. D'une intelligence hors pair, il est presque entièrement autodidacte. Malgré ses profondes convictions, il se dit apolitique. Il défend farouchement sa vie privée (en cloisonnant les différents pans de son existence), mais devient une personne publique. Beaucoup soulignent sa timidité, trait de caractère présent chez plusieurs de ses personnages. Il vouvoie ses collègues, ses maîtresses et certains de ses amis, et Suzanne Schiffman raconte qu'il a «horreur de la foule». Pourtant, malgré sa réserve et sa répugnance à se mêler aux groupes, il possède un immense cercle d'amis et de connaissances. Il est fidèle en amitié et garde généralement le contact par voie épistolaire. Cependant, il lui arrivera de vendre sans sa permission les livres de son grand ami d'enfance, Robert Lachenay. Bien que de nombreux critiques le considèrent comme un misogyne, ses films font souvent la part belle aux personnages féminins. Josiane Couëdel, sa secrétaire aux Films du Carrosse (la société de production qu'il fonde en

«Je lis chaque semaine Détective*, c'est l'anthologie des faiblesses humaines.»*

François Truffaut

PAGE CI-CONTRE, EN HAUT
Sur le tournage de *Vivement dimanche!* (1983)
Les hommes deviennent fous et les femmes se vengent. D'autres films de Truffaut mettent en scène des femmes fatales. Ici, Fanny Ardant pointe un pistolet sur Truffaut.

PAGE CI-CONTRE, EN BAS À GAUCHE
Publicité pour *La Mariée était en noir* (1967)
Julie Kohler (Jeanne Moreau) tient le couteau qui tuera sa cinquième victime. Elle a déjà poussé dans le vide, empoisonné et abattu (d'une balle et d'une flèche) ses précédentes victimes.

PAGE CI-CONTRE, EN BAS À DROITE
Scène de *L'Homme qui aimait les femmes* (1977)
Bertrand Morane (Charles Denner) est fasciné par Delphine Grezel (Nelly Borgeaud) qui aime faire l'amour dans des lieux publics car cela l'excite. Sa personnalité déséquilibrée conduira au meurtre de son mari.

1957), raconte comment il «cherchait toujours à [me] pousser en avant, à [me] donner confiance en [moi], à [me] faire perdre [ma] timidité». De même, il est réputé pour le tact et la considération dont il fait preuve à l'égard des acteurs, alors que certains lui reprochent son attitude autocratique et peu coopérative.

S'il est un domaine dans lequel il ne change pas tout au long de son adolescence et de sa vie adulte, c'est son attirance pour le sexe opposé. *L'Homme qui aimait les femmes,* c'est lui, et Charles Denner calque d'ailleurs le personnage de Bertrand Morane sur son modèle, ou plutôt sur l'une des facettes de la personnalité de Truffaut. De ses innombrables aventures de jeunesse jusqu'à sa dernière compagne, il collectionne les conquêtes, parmi lesquelles figurent certaines des plus grandes actrices françaises: Jeanne Moreau, Claude Jade, Françoise Dorléac, Jacqueline Bisset, Leslie Caron, Catherine Deneuve, Fanny Ardant. Sans oublier la belle et talentueuse Madeleine Morgenstern, son épouse et amie à partir de 1956. L'un des aspects les plus remarquables de ces liaisons est qu'elles cèdent la place, une fois terminées, à une indéfectible amitié. Comme de Baecque et Toubiana le soulignent dans leur biographie extrêmement détaillée, «infidèle, François Truffaut l'a toujours été, davantage par besoin de séduire et d'être aimé que par donjuanisme». En d'autres termes, il passe sa vie à quêter l'amour que sa mère lui a refusé, cherchant inlassablement à se montrer digne d'être aimé.

Scène des *Deux Anglaises et le Continent* (1971)
Dans ses films, Truffaut a accordé une part importante aux enterrements, aux cimetières et à la mort des personnages principaux. Ainsi, Gérard trouve la mort dans *Les Mistons*, Léna dans *Tirez sur le pianiste*, Catherine et Jim dans *Jules et Jim*, Pierre Lachenay dans *La Peau douce*, Anne Brown dans *Les Deux Anglaises et le Continent*, Bertrand Morane dans *L'Homme qui aimait les femmes*, Julien Davenne dans *La Chambre verte* et Bernard et Mathilde dans *La Femme d'à côté*. Ici, Claude Roc (Jean-Pierre Léaud) pleure sa défunte mère.

Afin de mieux cerner le personnage, brossons en quelques traits le portrait de François Truffaut au quotidien. Pour paraphraser Molière, il mange pour vivre plutôt qu'il ne vit pour manger. Il n'affectionne guère les sorties au restaurant: un sandwich avalé en travaillant fait généralement office de déjeuner. Il voue un amour teinté de fierté à sa vieille machine à écrire IBM, sur laquelle il rédige la plupart de ses scénarios. Josiane Couëdel note son goût pour la télévision et la culture populaire, ainsi que sa fascination pour les feuilletons comme *Dallas.* Il connaît par cœur les chansons de nombreux interprètes français (Boby Lapointe, Charles Aznavour, Félix Leclerc, Charles Trenet), qu'il fait d'ailleurs figurer dans ses films. Mais ce qu'il aime par-dessus tout, c'est le cinéma. Sur les tournages, il emporte avec lui ses films favoris en 16 mm pour les projeter le soir à toute l'équipe. Sa passion pour le septième art est sans doute liée à son enfance malheureuse. Dès le plus jeune âge, il cherche littéralement refuge dans les salles obscures. Pour Truffaut, comme pour Ferrand dans *La Nuit américaine,* l'important est que «le cinéma règne». Car pour lui, le cinéma, c'est la vie.

Il ne fait aucun doute que Truffaut s'intéresse moins aux idées qu'aux êtres humains qui les inventent. Au cœur de chacun de ses films se trouvent les personnages, leurs sentiments, leurs relations. Dans l'ensemble, il ne cherche pas à percer à jour une vérité philosophique, politique, religieuse ou autre. Bien que ses films, comme ses écrits, révèlent un esprit extrêmement intelligent et créatif, ils ne peuvent être qualifiés d'intellectuels, à l'instar de ceux de Jean-Luc Godard, d'Alain Resnais ou d'Éric Rohmer. Les principaux thèmes de son œuvre sont «l'enfance, la fascination masculine pour les femmes, la construction de la virilité, l'obsession de la mort, les tâtonnements en direction d'une compréhension de l'amour, la relation de l'individu à l'autorité, les liens entre la fiction et la réalité». À ces thèmes s'ajoute l'acte de création – qu'il s'agisse de cinéma, de littérature, de théâtre, de peinture ou de dessin animé – et les tensions nées du conflit entre ce qui est provisoire et ce qui est absolu, permanent, définitif. Par ailleurs, Truffaut attache une telle importance à la forme qu'elle peut elle aussi être considérée comme un thème. Ainsi la structure narrative et l'art de porter une histoire à l'écran constituent-ils des éléments clés de tous ses films.

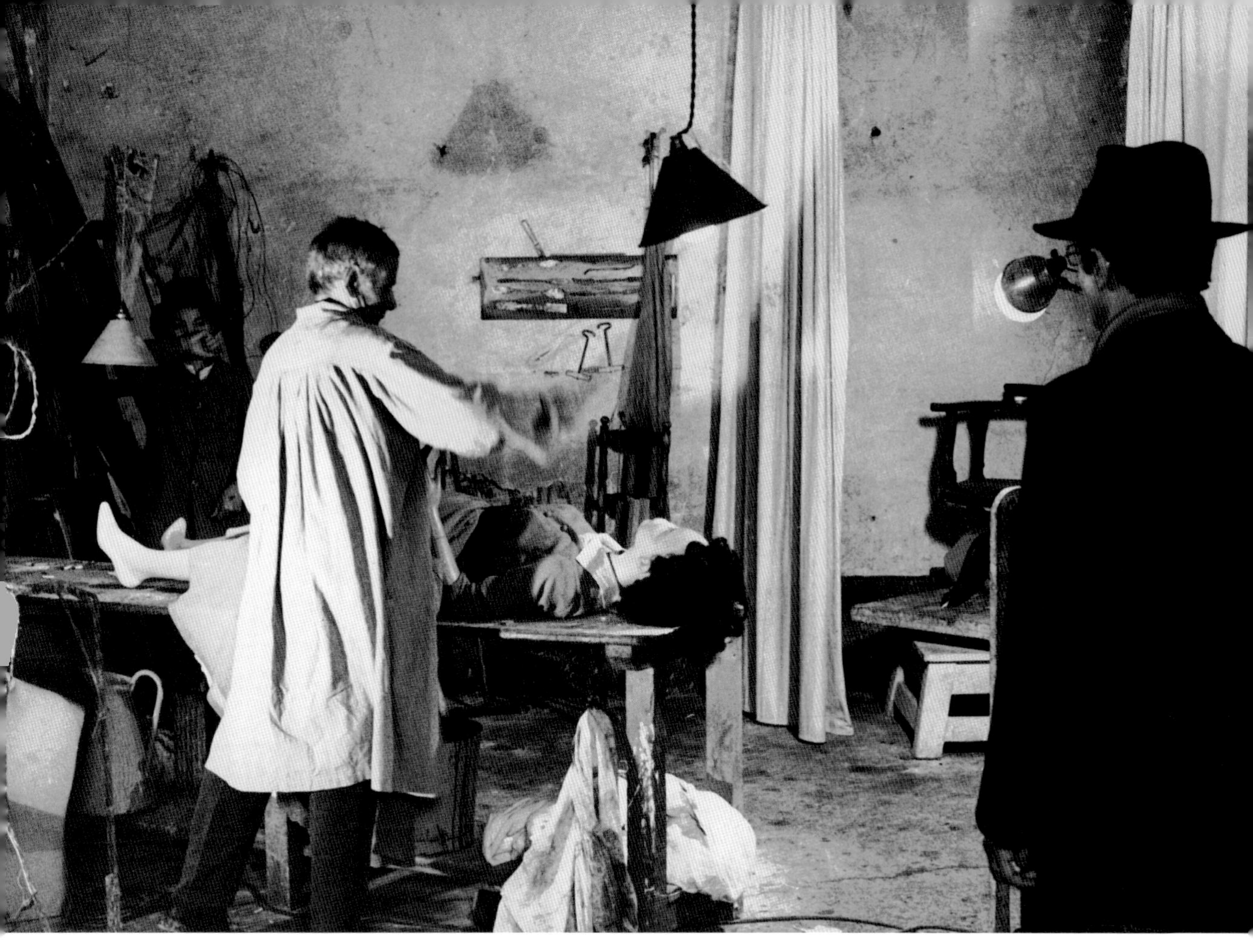

CI-DESSUS

Scène de *La Chambre verte* (1978)

Julien Davenne (François Truffaut, à droite) ordonne que la statue de cire de sa défunte épouse soit détruite.

CI-CONTRE

Scène de *Jules et Jim* (1962)

Jules (Oskar Werner, à droite) suit les employés des pompes funèbres qui portent les restes des deux personnes qu'il a aimées : Catherine et Jim.

WERTHER

Ceux-ci se caractérisent par un mélange d'allégresse et de mélancolie que reflète souvent leur musique. Les chansons et les compositions choisies par Truffaut oscillent entre ces deux pôles et passent régulièrement d'une humeur à l'autre. La bande originale des *Mistons* en offre un parfait exemple. Un autre élément clé est l'humour. Provoquant plus volontiers des sourires ironiques et nuancés que des rires gras, il sert de contrepoint aux passages plus tristes ou plus introspectifs. Ainsi *Les Quatre Cents Coups* nous fait-il fréquemment sourire tout en nous montrant les déboires d'un enfant négligé et têtu. L'allégresse, la mélancolie et l'humour, donc, mais rarement la violence. Truffaut l'explique: «Comme moi, Antoine est contre la violence parce qu'elle signifie un affrontement. Ce qui remplace la violence, c'est la fuite, non pas la fuite devant l'essentiel, mais la fuite pour obtenir l'essentiel.»

«Le vrai cinéaste ne se joue pas du spectateur, il joue avec lui.» Jean Gruault évoque ici un trait fondamental du style de Truffaut. Ce dernier rêve souvent de l'époque bénie du cinéma muet, regrettant le «secret» perdu avec l'avènement du son. Ce «secret» (auquel le livre d'Anne Gillain sur Truffaut doit son titre, *Le Secret perdu*), c'est la participation alerte du public à la création du sens, qui consistait à «interpréter ce qu'on lui montrait, résoudre la devinette que lui posaient en toute complicité et à chaque instant d'astucieux jeunes (et moins jeunes) gens qui avaient pour la plupart fait leurs classes ou déjà fait carrière dans le cinéma muet». Le style de Truffaut est intertextuel, il regorge de références et de clins d'œil aux spectateurs, comme l'hommage à Abel Gance – l'image en trois parties où figure Plyne dans *Tirez sur le pianiste* – ou à Jean Renoir – le décor en forme de cour dans *Domicile conjugal*. Contrairement à Godard, il ne cherche toutefois pas à révolutionner la forme. Truffaut passe plutôt maître dans l'art de faire des films. Cet art, il l'a acquis grâce aux milliers d'œuvres admirées depuis l'âge de huit ans dans les cinémas parisiens, œuvres sur lesquelles il prend d'innombrables notes, classées dans ses célèbres «dossiers».

Truffaut est donc un réalisateur qui filme les émotions et considère l'intellectualisme presque comme un défaut, qui manie habilement toute la palette des techniques cinématographiques mais fait rarement preuve d'innovation et qui semble parfois terriblement misogyne et politiquement incorrect. Dans ces conditions, quelle place occupe-t-il aujourd'hui? Peut-on réellement le classer parmi les grands réalisateurs? Un élément de réponse nous est fourni par l'Américaine Helen Scott, amie de Truffaut et coauteur de *Hitchcock/Truffaut* (Ramsay, 1983). Dans sa contribution au *Roman de François Truffaut*, elle écrit: «Je ne sais si François Truffaut était le meilleur metteur en scène du monde, mais par son attitude humaine envers les gens, par ses déclarations, ses écrits et à en juger par le courrier énorme qu'il recevait du fin fond de l'Amérique, de Scandinavie, du Japon et d'ailleurs, je crois bien qu'il était le metteur en scène le plus respecté et aimé du monde.»

Les œuvres de Truffaut rencontrent un large public, en France comme à l'étranger. Elles stimulent la réflexion dans des domaines qui nous affectent tous. Si cette réflexion met l'accent sur notre vie émotionnelle et conduit à une meilleure compréhension de nous-mêmes et de notre rapport à autrui, cela ne lui ôte en rien son importance. Comme le note Georges Kiejman, l'avocat de Truffaut, «François n'a pas fait de films sociaux, à thèses, mais est-ce que décrire le bonheur des individus, ce n'est pas déjà prendre une position politique?». Le succès de Truffaut provient de ce que ses films plaisent à la fois au public français et international. Ils traitent d'émotions qui interpellent tout un chacun, où qu'il vive et quelle que soit sa langue.

«Quant à l'amour de la chose écrite, il n'est pas un film de Truffaut où livres, lettres, journaux ne circulent activement: ici, les mistons écrivent une carte postale, des graffitis sur les murs avec l'illusion de pouvoir changer le cours du destin.»

Bertrand Bastide

CI-DESSUS
Scène de *L'Homme qui aimait les femmes* (1977)
L'amour de Truffaut pour l'écriture transparaît dans pratiquement tous ses films. Ici, l'éditrice Geneviève Bigey (Brigitte Fossey) remet à Bertrand Morane (Charles Denner) une maquette de son livre.

PAGE CI-CONTRE, EN HAUT
Scène de *Fahrenheit 451* (1966)

PAGE CI-CONTRE, EN BAS À GAUCHE
Scène de *Baisers volés* (1968)
Antoine Doinel (Jean-Pierre Léaud) lit *Le Lys dans la vallée* d'Honoré de Balzac.

PAGE CI-CONTRE, EN BAS À DROITE
Scène de *Tire-au-flanc* (1962)
Truffaut lit Werther de Goethe aux éditions Fayard dans un film de Claude de Givray produit par Truffaut.

De père inconnu 1932–1959

Aux premières heures du 6 février 1932, à bonne distance de l'appartement familial situé dans le IXe arrondissement, Janine de Monferrand accouche seule et dans le plus grand secret. Janine n'a que dix-neuf ans et est issue d'une respectable famille bourgeoise. Dans ce milieu, une mère célibataire est un déshonneur et l'enfant, baptisé François, est mis en nourrice. Dix-huit mois plus tard, Janine épouse Roland Truffaut, dessinateur industriel de son état, lequel accepte de reconnaître son fils et de lui donner son nom.

Roland Truffaut est passionné de montagne, tandis que Janine est plus portée sur la littérature, le théâtre, le cinéma et les aventures sentimentales. Ils ne sont guère disposés à s'encombrer d'un enfant, et jusqu'à l'âge de dix ans, François est principalement élevé par sa grand-mère maternelle. À la mort de cette dernière, c'est Roland, le beau-père, qui plaide en faveur de son retour au domicile parental. François éprouve pour sa mère des sentiments partagés – et réciproquement : tout en admirant sa beauté et son indépendance d'esprit, il se sent constamment de trop. « Qu'est-ce qu'on va faire du gosse ? » est un refrain récurrent et ses parents le laissent fréquemment seul le week-end, voire à Noël. Il ne tardera pas à découvrir le secret de ses origines et sa perception du ressentiment de sa mère à son égard s'intensifie. Il cherche ailleurs un peu de compagnie et la trouve en la personne de Robert Lachenay, son ami de toujours, représenté par le personnage de René dans *Les Quatre Cents Coups* et *Antoine et Colette*. Le jeune Truffaut passe le plus clair de son temps avec son ami, chez qui il passe souvent la nuit.

Après des résultats encourageants au début de sa scolarité, François connaît de plus en plus de déboires. Passant d'un établissement à l'autre, il voit sa réussite scolaire décroître à mesure qu'augmente sa propension à faire l'école buissonnière. La fameuse scène des *Quatre Cents Coups* où, pour expliquer une de ses absences, il déclare sans ambages au professeur que sa mère est morte, est une anecdote véridique. Rien ne pourrait exprimer de manière plus poignante ce qui constitue pour le jeune garçon une « vérité » psychologique. L'absentéisme et les fugues marquent le début d'un dérapage dans la petite délinquance. Il connaît ses premiers démêlés avec la police lorsqu'il vole une machine à écrire – épisode évoqué dans *Les Quatre Cents Coups* – pour régler les dettes contractées en tentant de monter un ciné-club (le Cercle Cinémane). Si son beau-père, honteux, vient une première fois à sa rescousse, c'est lui qui, exaspéré par le récidivisme de François, finira par le livrer à la police, ce qui lui vaudra un séjour en maison de correction. C'est vers cette

François Truffaut à l'âge de dix ans (1942)
Truffaut avait une véritable passion pour la lecture. Cette passion transparaît dans ses films (qui s'articulent souvent autour de livres) et nombre de ses personnages lisent ou écrivent des livres (voir pages 14 et 15).

« Ma mère ne supportait pas le bruit, enfin je devrais dire, pour être plus précis, qu'elle ne me supportait pas. En tout cas, je devais me faire oublier et rester sur une chaise à lire, je n'avais pas le droit de jouer ni de faire du bruit, il fallait que je fasse oublier que j'existais. »

François Truffaut

époque que Truffaut entre en contact avec André Bazin, éminent critique de cinéma qui lui propose un travail au sein de l'association Travail et Culture.

C'est le premier d'une série d'emplois sans lendemain qui le conduisent, fin 1950, à décider sur un coup de tête de s'engager dans l'armée. Quelques jours plus tard, il s'en mord déjà les doigts. Il s'ensuit une période de désespoir ponctuée d'accès de syphilis, de désertions et même d'une tentative de suicide, jusqu'à ce que le jeune homme soit officiellement libéré de ses obligations militaires début 1952. Les Bazin, qui contribuent à sa libération, hébergeront Truffaut pendant les deux années suivantes dans leur appartement de Bry-sur-Marne.

Dès l'âge de huit ans, Truffaut est devenu un fervent cinéphile : entre 1946 et 1956, il aurait vu plus de 3 000 films, souvent à raison de trois par jour. S'il s'agit au début de films principalement français et allemands, le cinéma américain fait progressivement son apparition après la fin de la guerre. Parallèlement, ayant hérité de sa mère et de sa grand-mère le goût de la lecture, il dévore trois livres par semaine, bien souvent des thrillers. Sa passion dévorante pour le septième art débute pendant la guerre. La chaleur et l'intimité des salles obscures en font un refuge tout trouvé. Ces séances sont à la fois secrètes (à l'insu de ses parents) et clandestines (il entre par la sortie). Les dossiers qu'il se met à compiler sur les réalisateurs et leurs œuvres témoignent de l'intensité de sa passion. Mais il ne se contente pas de voir les films, encore lui faut-il en parler. À ses visites régulières à la Cinémathèque s'ajoute la fréquentation de divers ciné-clubs. C'est à la Cinémathèque qu'il rencontre Godard, Rohmer, Chabrol, Rivette, Doniol-Valcroze et Liliane Litvin, son premier amour, qui sert de modèle à Colette dans *Antoine et Colette.* Encouragé à écrire par Bazin, il publie ses premiers articles au printemps 1950. C'est le début d'une fulgurante carrière de critique : il écrira plus de 500 articles pour la revue de droite *Arts* et près de 200 pour les *Cahiers du cinéma*, l'une des revues de cinéma les plus influentes de l'époque. Bazin organise et finance par ailleurs des séjours dans différents festivals.

Les écrits de Truffaut sur le cinéma se caractérisent par un style direct et extrêmement précis. Le style critique des années 1950, époque à laquelle il signe la plupart de ses écrits, sera peu à peu supplanté par l'approche plus intellectuelle et plus théorique qui n'a cessé de dominer depuis. Les prises de position de Truffaut découlent d'un sentiment aigu de ce qu'il perçoit comme les défauts du cinéma français et d'une connaissance encyclopédique du cinéma européen et américain. Il attaque les réalisateurs qui lui déplaisent avec la même vigueur qu'il défend ceux qu'il affectionne. Ainsi définit-il peu à peu les films et les metteurs en scène considérés comme « mauvais » et, à l'inverse, ceux dont il salue l'influence. Toutefois, ces jugements ne s'appuient guère sur des fondements théoriques.

Un article résume parfaitement le style de Truffaut et sa vision du cinéma français. Intitulé « Une certaine tendance du cinéma français », c'est le fruit de deux années de travail durant lesquelles, avec l'aide de Bazin, il élabore sa contribution la plus importante à la critique cinématographique. Celle-ci est publiée dans les *Cahiers du cinéma* en janvier 1954 et a immédiatement un impact significatif. Les attaques de Truffaut prennent pour cible les cinéastes les plus en vue du moment. Parmi les plus célèbres et les plus violemment critiqués figurent Claude Autant-Lara, Jean Delannoy, René Clément et Yves Allégret. Plus encore qu'aux metteurs en scène, il s'en prend aux scénaristes, et en particulier à Jean Aurenche et à Pierre Bost. Ce sont eux que Truffaut juge principalement responsables de ce qu'il appelle la « tradition de la qualité » et de la vogue du réalisme psychologique. Il les accuse d'anticléricalisme, de blasphème, de sarcasme et de malhonnêteté vis-à-vis du public.

CI-DESSOUS
Film amateur *Les Visiteurs du samedi soir* (1944)
Quand Roland Truffaut décide, au cours d'une partie d'escalade à Fontainebleau, de monter une parodie du film récemment sorti de Marcel Carné *Les Visiteurs du soir*, François en est. Ici, il joue le rôle du nain.

PAGE CI-CONTRE
François Truffaut (vers 1939)
Le jeune François a vécu à Paris avec sa grand-mère maternelle jusqu'à ce qu'ils déménagent à Binic, en Bretagne, pendant l'été. Là, il s'est adonné à la lecture, à la marche et à la course à pied sur la plage. La coiffure de Truffaut sur cette photographie rappelle Victor dans *L'Enfant sauvage* ou Julien Leclou dans *L'Argent de poche*.

François Truffaut en prison militaire (1951)
Truffaut s'engage dans l'armée mais, se rendant vite compte de son erreur, il manque plusieurs fois à son devoir et finit par se faire emprisonner. Après une tentative de suicide, Truffaut trouve quelque réconfort dans les livres et les lettres que lui envoient ses amis.

Il reproche à leurs films leur manque de naturel dû à des dialogues trop «littéraires», à l'abus de décors recréés en studio et à une photographie excessivement polie. En bref, déclare-t-il sans détour, leur réalisme psychologique n'a rien de réel ni de psychologique.

Truffaut remet par ailleurs en cause l'idée selon laquelle les scénaristes sont les véritables auteurs d'un film. Cette idée lui fait horreur et débouche directement sur l'un des principes fondamentaux de la Nouvelle Vague, la «politique des auteurs». «Et je ne puis croire à la coexistence pacifique de la tradition de la qualité et d'un cinéma d'auteur», écrit Truffaut dans son article. Cette théorie quelque peu schématique tente de mettre sur un pied d'égalité les réalisateurs de films et les auteurs de romans ou de pièces de théâtre. Cette correspondance ne peut être qu'approximative, puisqu'un film est inévitablement le fruit d'un travail collectif impliquant le metteur en scène, le(s) scénariste(s), les acteurs, le directeur de la photographie, les techniciens et enfin les monteurs. Truffaut travaille souvent en étroite collaboration avec le monteur ou plutôt la monteuse, car en France, ce métier est traditionnellement féminin. Comme le note l'une d'entre elles, Martine Barraqué, «le film bougeait beaucoup au montage. Il récrivait beaucoup de phrases, de voix off». Selon Truffaut, le metteur en scène est la clé de voûte de l'organisation, c'est lui qui est aux commandes et, par sa participation à toutes les étapes du processus, imprime sa propre « vision du monde » sur le produit fini. « Un bon réalisateur (c'est-à-dire approuvé par les *Cahiers*) était l'auteur d'une œuvre dans laquelle chaque film possédait un style reconnaissable exprimant une vision personnelle cohérente. » La notion d'auteur, qui est au cœur même de la Nouvelle Vague, sera rapidement noyée sous un flot de nouvelles théories. Bien que passée de mode, cette approche est encore adoptée par de nombreux critiques et spécialistes du cinéma.

La Nouvelle Vague ne sera jamais plus qu'un groupe confus de cinéastes que le hasard a réunis à une époque cruciale. Ils ne formeront pas un mouvement structuré et ne souscriront jamais sans réserve à une théorie globale. Ils partagent en revanche un certain nombre de valeurs et, pendant un temps du moins, une même approche du cinéma. Influencés par les néoréalistes italiens qu'ils découvrent dans les ciné-clubs, ils optent pour une nouvelle forme de réalisme. Dédaignant les studios, ils vont tourner dans la rue à la lumière naturelle et, dès que cela devient possible, en son direct. Ils évitent les stars et se contentent de budgets modestes. Ils sont aidés dans leur démarche par les récentes avancées technologiques et, en particulier, par les nouvelles caméras portatives légères. *Les Quatre Cents Coups* offre un exemple classique de ce cinéma d'un genre nouveau : tourné dans les rues de Paris et dans un appartement exigu, ce tableau de la vie d'un écolier fait l'effet d'une bouffée d'air pur lors de sa sortie en 1959. D'autres films dans la même veine, réalisés vers la même époque par Chabrol, Godard, Rohmer et Rivette, donnent l'impression relativement trompeuse d'un mouvement concerté.

La Nouvelle Vague comporte d'autres aspects non négligeables, notamment une relation extrêmement ambiguë avec le cinéma américain. D'une part, certains Américains figurent parmi les réalisateurs les plus vénérés par ce mouvement, et le cinéma de genre hollywoodien sert de modèle à Truffaut dans *Tirez sur le pianiste* et à Godard dans *À bout de souffle* (1959). D'autre part, la Nouvelle Vague tente de créer un cinéma spécifiquement français, montrant la France de l'époque.

Boulevard Saint-Michel, à Paris (1948)
En octobre 1948, François Truffaut et Robert Lachenay fondent Le Cercle Cinémane, ciné-club dont Truffaut (à droite) est le directeur artistique et Lachenay (à gauche) le directeur et secrétaire général. Truffaut s'endette terriblement et fait une fugue. Le 7 décembre, son beau-père Roland le rattrape lors d'une projection des *Hommes de la mer* de John Ford. Le 10 décembre, Truffaut est placé dans un centre d'observation pour mineurs délinquants à Villejuif. Truffaut affirmera quelque temps plus tard qu'il ne peut contempler le ciel bien longtemps tant le monde lui semble horrible quand il baisse à nouveau les yeux.

Truffaut nourrit encore un certain temps l'ambition de devenir écrivain. Cependant, la réalisation lui donne non seulement la possibilité d'écrire, mais également de puiser dans son immense culture cinématographique et dans sa connaissance de plus en plus pointue des techniques de tournage. Le désir de passer derrière la caméra se fait de plus en plus pressant. Son coup d'essai, intitulé *Une visite*, est un court métrage de huit minutes réalisé en 1954 sur une pellicule de 16 mm. Le décor est l'appartement de Jacques Doniol-Valcroze, rue de Douai, les personnages – au nombre de quatre – sont interprétés par des amis. On notera que parmi ceux-ci figure déjà une enfant, Florence, deux ans, la fille de Jacques Doniol-Valcroze.

L'intrigue, décrite par de Baecque et Toubiana, est simple : un jeune homme emménage dans un appartement qu'il partage avec une jeune femme. Celle-ci doit servir de baby-sitter pour sa nièce. Lorsque son beau-frère passe déposer l'enfant, il en profite pour flirter avec elle. À son tour, le colocataire tente maladroitement sa chance. S'étant fait rabrouer, il fait sa valise et repart. Truffaut se sert du film comme d'un ballon d'essai et juge sa distribution inutile. L'histoire de location d'un appartement, les tentatives de séduction maladroites du jeune homme et la présence d'un enfant sont autant d'éléments que l'on retrouvera dans ses films ultérieurs. Tout comme la scène où, pour amuser la jeune femme, son beau-frère imite le train en crachant la fumée de sa cigarette – scène rejouée sept ans plus tard.

Les origines du premier véritable film de Truffaut, *Les Mistons*, remontent au Festival de Venise en septembre 1956. C'est là qu'il rencontre Pierre Braunberger,

«Je ne sais pas si je me serais formulé à moi-même que je désirais faire des films sans Rivette qui, le premier, a voulu qu'on se groupe, qu'on ait des projets, qu'on écrive tous les scénarios et qu'on essaie de le présenter ensemble à des producteurs… Vous voyez, cette espèce de mouvement qu'a été la Nouvelle Vague, c'est plutôt d'amis plus actifs que moi que c'est parti.»

François Truffaut

Jean-Luc Godard, Suzanne Schiffman et François Truffaut
C'est à Paris, en 1949, que Truffaut rencontre Jean-Luc Godard et Suzanne Shiffman, ainsi que d'autres amoureux du cinéma. Nombre d'entre eux commencent à faire paraître des articles dans les *Cahiers du cinéma*, célèbre revue publiée par André Bazin, l'un des mentors de Truffaut.

producteur, et Madeleine Morgenstern, fille d'Ignace Morgenstern, directeur général de Cocinor, l'une des grandes sociétés de distribution françaises.

Comme le dit Godard dans *Tout va bien* (1972), il faut deux choses pour faire un film : de l'argent et une histoire. Une rencontre avec Maurice Pons, auteur d'un recueil de nouvelles, va lui fournir l'histoire, tandis que son amitié naissante avec Madeleine Morgenstern lui apportera les fonds. Truffaut, qui apprécie le style concis et hautement littéraire de Pons, est attiré par une nouvelle intitulée *Les Mistons.* De son côté, Madeleine demande à son père de participer au financement du projet. Celui-ci confie le dossier à son collègue Marcel Berbert, non sans avoir insisté pour qu'une société soit créée afin de recevoir les fonds et de gérer la production du film. C'est ainsi que les Films du Carrosse voient le jour. C'est également le début d'une longue relation avec Marcel Berbert, qui prend la direction de la société garantissant à Truffaut une indépendance cruciale et presque sans égal tout au long de sa carrière cinématographique.

Le tournage débute à Nîmes le 2 août 1957 et se poursuit tout au long du mois. L'équipe est réduite et le budget modeste. Les interprètes sont Gérard Blain, qui a déjà commencé à se faire un nom, Bernadette Lafont, dont c'est le premier rôle au cinéma, ainsi que cinq jeunes garçons choisis parmi une ribambelle de candidats. Deux des meilleurs amis de Truffaut, Robert Lachenay et Claude de Givray, lui apportent leur soutien moral. D'abord long de 40 minutes, le film est réduit à 23 minutes au montage.

Le scénario est simple : l'histoire se déroule au cours d'un été en Provence et met en scène une bande de chenapans qui tourmente de jeunes couples amoureux tels que Bernadette et Gérard. À la fin de l'été, ils apprennent que Gérard a été tué dans un accident de montagne.

Les Mistons est une œuvre charmante qui porte en germe beaucoup des thèmes chers à Truffaut, en particulier l'amour, l'enfance, l'écriture et la mort. Comme dans la plupart de ses films, la structure narrative et l'art de porter une histoire à l'écran constituent un thème à part entière. Le genre du film est également un choix lourd de sens. Ce qu'il n'est pas – film de guerre, film de gangsters, thriller – est aussi significatif que ce qu'il est : une tranche de vie provinciale doublée d'une observation piquante de l'apprentissage de la vie. Plus à l'aise dans la description quasi documentaire des aventures des jeunes garçons, Truffaut signe ici son premier film réaliste. En tant que tel, celui-ci se réclame d'un héritage indubitablement français. Cette idée s'exprime par la juxtaposition d'une référence à *L'Arroseur arrosé* (1895), film muet de Louis Lumière, et d'une séquence où les jeunes garçons, dans les arènes, jouent aux gangsters, aux soldats ou aux cow-boys et aux Indiens. Cette dernière est une nette allusion aux films de genre hollywoodiens, tandis que la première référence est une métaphore du cinéma français. *Les Mistons* affirme donc sans ambiguïté que le cinéma français doit avoir une identité propre et refléter la vie, la culture et la population françaises.

Nous avons déjà mentionné l'importance de l'écriture dans la vie de François Truffaut. C'est un thème qui reviendra fréquemment tout au long de son œuvre. Dans *Les Mistons*, il joue un rôle mineur mais crucial : leurs tracasseries n'ayant guère eu d'impact sur les amoureux, les jeunes garçons décident de faire des graffitis et de leur envoyer une carte postale dans l'espoir que leurs écrits aient plus de poids que leurs paroles. Avec leur exubérance, leur immaturité sexuelle, leur espièglerie pleine d'inventivité, leur humour et leur langage à eux, les enfants sont au cœur même du film. Bien que nous voyions Gérard et Bernadette presque exclusivement

Sur le tournage des *Mistons* (1957)
Le caméraman Jean Malige, François Truffaut et l'assistant réalisateur Claude de Givray regardent Bernadette Lafont en train d'arranger sa jupe pour que celle-ci se soulève quand elle s'élance à bicyclette.

à travers leurs yeux, les rapports de force au sein du couple, leur sensualité débordante et leur vulnérabilité sont également décrits de manière évocatrice.

La plus grande réussite du film est toutefois sa maîtrise du langage cinématographique. Truffaut met adroitement à profit la musique, les dialogues, les éclairages, les décors, les objets et les acteurs pour former un récit captivant. La structure est délibérément épisodique ; c'est moins une progression d'un début vers une fin qu'un mouvement circulaire. Le film repose sur la répétition et la variation. On voit d'abord Bernadette à vélo dans les rues de Nîmes, passant tour à tour de l'ombre à la lumière. Lorsqu'on découvre Gérard peu après, l'ombre et la lumière sont toujours présentes. La femme est gracieuse, son mouvement est fluide, élancé ; l'homme, à pied, est plus lourd, moins rapide.

Le montage a lieu au début de l'automne et la première projection le 17 novembre 1957. En octobre, Truffaut épouse Madeleine. *Les Mistons* connaît un succès immédiat et lui vaut le prix du Meilleur réalisateur au Festival international du film de Bruxelles. Le projet suivant, *Une histoire d'eau*, est tourné au printemps 1958. Ce court métrage de 10 minutes est inspiré par les inondations survenues dans la région parisienne. Le projet est pris en main par Godard, qui assure le montage et remanie la structure narrative et les dialogues. Bien que la contribution de Godard soit de loin la plus importante, le film est cosigné par Truffaut.

Scène des *Quatre Cents Coups* (1959)
René Bigey (Patrick Auffay) et Antoine Doinel (Jean-Pierre Léaud) surprennent la mère d'Antoine (Claire Maurier) en train d'embrasser un homme (Jean Douchet) qu'elle fréquente à son travail. La relation d'Antoine avec sa mère, et notamment le manque d'amour qu'elle lui témoigne, est au cœur du film.

Le succès des *Mistons* apporte à Truffaut la reconnaissance et surtout, un nouveau soutien financier. Bien qu'il n'apprécie pas particulièrement ce film, Ignace Morgenstern avance des fonds pour un autre film. Fidèle au thème de l'enfance, Truffaut entreprend la rédaction du script des *Quatre Cents Coups*, faisant finalement appel à un scénariste chevronné, Marcel Moussy. Ensemble, ils terminent rapidement le scénario et Truffaut entame le casting. Le tournage débute en novembre 1958, coïncidant malheureusement avec la mort d'André Bazin, le mentor de Truffaut ; il s'achève le 5 janvier 1959. Sélectionné avec deux autres films pour représenter la France au Festival de Cannes, il y est projeté le 4 mai et sort à Paris le 3 juin.

Là encore, la structure narrative est plus épisodique que linéaire. À Paris, dans les années 1950, le jeune Antoine vit avec sa mère Gilberte et son beau-père Julien. Le montrant tour à tour à la maison, à l'école, dans la rue et dans une maison de redressement, le film dépeint par petites touches l'enfance d'Antoine. Sa mère, pleine de ressentiment à l'égard d'un enfant non désiré, oscille entre tendresse et cruauté. Elle se montre insensible à ses besoins, indifférente à cet enfant confronté aux difficultés de la puberté. Son beau-père, quant à lui, se montre prêt à lui consacrer du temps et à échanger des plaisanteries avec lui. Mais il perd patience, le frappe violemment et finit par le livrer à la police. L'école n'offre pas plus de

Scène des *Quatre Cents Coups* (1959)
Pour excuser son absence à l'école, Antoine affirme que sa mère est morte. (D'une certaine façon, il n'a pas tort et lui aussi est « mort » aux yeux de sa mère. Il lui barre le passage et Truffaut ne manque pas de le souligner lorsque la mère d'Antoine doit littéralement l'enjamber pour rentrer dans l'appartement.) Dans cette scène, Antoine est appelé par son beau-père au fond de la classe où l'attend une sévère correction pour avoir proféré un tel mensonge.

réconfort, puisque l'absentéisme d'Antoine et son esprit d'indépendance créent des conflits avec ses professeurs. Sa seule consolation est son ami René Bigey, avec lequel il entreprend une série d'escapades : on les voit dérober de l'argent à sa mère, faire un tour à la foire, voler une machine à écrire. Ce dernier larcin décide le beau-père à remettre Antoine entre les mains de la police. Il s'ensuit une nuit au poste et un séjour dans un centre d'observation pour mineurs situé près de la côte. Antoine profite d'un cours de gymnastique pour s'enfuir et courir jusqu'à la mer. Dans le dernier plan du film, on le voit arriver au bord de l'eau et se retourner vers la terre pour fixer la caméra, dont l'image se fige sur son visage.

L'aspect intime et autobiographique de l'œuvre saute immédiatement aux yeux. En saisissant « la qualité extraordinaire des situations ordinaires », ce film constitue à bien des égards l'exemple même du néoréalisme défendu par la Nouvelle Vague. L'école, la maison, la rue, le comportement des élèves et des professeurs, la relation aux parents et à l'autorité, le caractère rebelle d'un enfant turbulent et marginalisé : tout un univers dans lequel le public se reconnaît immédiatement. L'histoire est dominée par les relations entre le jeune héros et ses parents, en particulier sa mère. Séduit par sa beauté, il est troublé par sa sensualité, qu'elle affiche sans complexe devant lui. Incapable de lui rendre son amour, elle le repousse sans cesse. Son image belle et pure subsiste pourtant dans l'esprit du garçon jusqu'au jour où il la voit

« Je suis beaucoup moins autobiographique qu'on ne croit. »

François Truffaut

embrasser un amant dans la rue. Le beau-père qui, à portée de voix d'Antoine, réprimande sa femme pour ses écarts extraconjugaux, consacre la plupart de son temps au rallye automobile. Son attitude complaisante contraste fortement avec ses violents accès de colère, qui sèment la confusion dans l'esprit de l'enfant.

Souvent livré à lui-même, Antoine transgresse les règles. L'école ressemble plus à une prison qu'à un lieu d'apprentissage. Quand les maîtres ne sont pas des lavettes, ce sont des brutes autoritaires. La police et la maison de redressement ne valent pas mieux. Parmi les adultes, seule la psychologue fait preuve de sympathie et de compréhension à l'égard d'Antoine. En dehors d'elle, il tire son seul réconfort de son amitié avec René. L'étude de l'amitié masculine joue d'ailleurs un rôle majeur dans plusieurs films de Truffaut. Dans ce morne univers, Antoine connaît tout de même des moments d'allégresse : la séance au Gaumont Palace, le spectacle de Guignol où la joie se lit sur les visages enfantins, la lecture de Balzac.

Voilà qui nous ramène au thème de l'écriture, présente sous maintes formes : les rédactions à l'école, la lecture de romans, les faux mots d'excuse pour justifier les absences. Dans la plupart des cas, elle sert à voir ou à présenter le monde sous un jour différent. L'écriture est une expérience créative, une source de bonheur.

Malgré ces instants de répit et l'humour présent tout au long du film, *Les Quatre Cents Coups* est dans l'ensemble une œuvre sombre. La fin est ambiguë : Antoine arrive au bord de la mer, mais se retourne immédiatement vers la terre. La liberté enfin conquise se révèle terne, désolée, déconcertante. Cependant, Antoine a surmonté de nombreuses épreuves et son visage semble exprimer à la fois la défiance et la détermination à survivre.

Les Quatre Cents Coups connaît un immense succès et rembourse largement l'investissement consenti par le père de Madeleine. Il fait un malheur au Festival de Cannes, où Truffaut remporte le prix du Meilleur réalisateur. Mais surtout, il contribue à un bouleversement général de la société française avec l'avènement d'une culture axée sur la jeunesse. De plus, il attire l'attention de la critique comme du public sur les méthodes et les principes de la Nouvelle Vague. Et pas seulement en France, puisque le film attire bientôt les distributeurs du monde entier et sera projeté à New York, Londres, Tokyo et Rome. Presque du jour au lendemain, Truffaut et la Nouvelle Vague se retrouvent propulsés sur le devant de la scène internationale. Il a tout juste 27 ans.

Le succès du film a d'autres retombées. Comme on pouvait s'y attendre, Janine et Roland Truffaut exigent des explications. Soudain devenu riche, Truffaut change de train de vie, se payant des vêtements, des voyages, une voiture de sport et un plus grand appartement dans le XVIe arrondissement. Sa fortune soudaine lui permet de soutenir Rivette, Godard qui utilise un synopsis de dix pages signé Truffaut pour *À bout de souffle*, et Claude de Givray, dont il produit deux films. En octobre, il se rend à Londres pour la première anglaise des *Quatre Cents Coups* et se lie d'une amitié indéfectible avec Richard Roud. En janvier de l'année suivante, il se rend à New York pour la première américaine et pour recevoir le prix du Meilleur film étranger décerné par la critique new-yorkaise. Il y rencontre Helen Scott, attachée de presse du French Film Office, qui va devenir l'un de ses plus fervents supporters et collaborera à son livre sur Hitchcock. Si le succès lui monte momentanément à la tête, l'accident dont il est victime en 1962 au volant de sa voiture de sport ne tardera pas à le faire redescendre sur terre.

« Quand ils sont terminés, je m'aperçois que mes films sont toujours plus tristes que je ne l'aurais voulu. »

François Truffaut

Scène des *Quatre Cents Coups* (1959)
Antoine Doinel trouve une échappatoire vers la mer et vers un avenir incertain.

Un hymne à la vie et à la mort 1960–1963

Truffaut aura moins de difficultés à financer le projet suivant, même si *Tirez sur le pianiste* coûte deux fois plus cher que *Les Quatre Cents Coups*. Ce budget élevé s'explique en partie par le rachat des droits de *Down There* (*Tirez sur le pianiste*), roman policier de l'Américain David Goodis, et par le cachet de Charles Aznavour dans le rôle de Charlie Koller. Pour le scénario, achevé en juillet 1959, Truffaut coopère de nouveau avec Marcel Moussy. L'équipe est rapidement mise sur pied. La photographie est confiée à Raoul Coutard. La scripte est Suzanne Schiffman, rencontrée à la Cinémathèque ; c'est le début d'une collaboration qui durera jusqu'à la mort de Truffaut. Albert Rémy (qui joue le père dans *Les Quatre Cents Coups*) interprète le rôle de Chico et Michèle Mercier celui de la prostituée Clarisse. Lors des auditions, Truffaut est frappé par une jeune actrice nommée Claudine Huzé. C'est elle, sous le nom de scène de Marie Dubois, qui incarnera Léna (ainsi que Thérèse dans le film suivant).

Chico Saroyan et son frère Richard ont commis un crime avec Momo et Ernest. Mais les Saroyan ont doublé leurs complices, qui sont à la poursuite de Chico. Celui-ci se réfugie dans un bar où un autre de ses frères est pianiste. D'abord sourd à ses supplications, ce dernier finit par l'aider à s'échapper. L'attention se recentre sur le pianiste, dont le nom d'emprunt est Charlie Koller. Charlie vit avec son jeune frère Fido et partage de temps à autre son lit avec une prostituée, Clarisse. Léna, une serveuse amoureuse de Charlie, le ramène chez elle. Elle sait qu'il était autrefois un célèbre concertiste connu sous le nom d'Édouard Saroyan. Un flash-back nous apprend qu'il a été marié à Thérésa, une autre serveuse qui l'a encouragé dans sa carrière de pianiste. Afin de lui assurer un contrat avec l'impresario Lars Schmeel, Thérésa a couché avec lui. Le jour où Édouard l'apprend, il quitte sa femme, dévasté, et celle-ci se suicide. De retour à l'époque présente, Charlie se bat pour les beaux yeux de Léna avec Plyne, le propriétaire du bar, qui meurt dans la mêlée. Pendant ce temps, Momo et Ernest ont kidnappé Fido. Avec l'aide de Léna, Charlie s'enfuit à la montagne, dans la maison de famille, où il retrouve Chico et Richard. Momo et Ernest arrivent à leur tour et il s'ensuit un échange de coups de feu au cours duquel Léna trouve la mort. Charlie retourne à son emploi de pianiste dans le bar désormais dirigé par Mammy, la femme de Plyne, qui lui présente une nouvelle serveuse.

La séquence d'ouverture illustre, tout comme *Les Mistons*, les rapports ambigus de Truffaut avec le cinéma américain. Les premiers signes laissent à penser qu'il s'agit d'un

Scène de *Tirez sur le pianiste* (1960)
Léna (Marie Dubois) gît au pied de son amant Charlie Koller (Charles Aznavour) après avoir été prise dans un feu croisé impliquant les frères gangsters de Charlie. Koller est un personnage maudit : tous ses actes se terminent toujours par une tragédie pour les êtres qu'il aime.

(Note : dans la plupart des ouvrages de référence, le nom de Charlie est écrit « Kohler ». Cependant, dans la seule référence visuelle au nom du personnage dans le film [une affiche à l'extérieur d'un bar], il est orthographié « Koller » Il s'agit d'un jeu de mots ironique avec « colère », Charlie étant bien incapable de manifester un tel sentiment. Par contraste, Julie Kohler, dans *La Mariée était en noir*, n'a aucun mal à exprimer sa colère.)

« Or, je crois fermement qu'il faut refuser toute hiérarchie de genres, et considérer que ce qui est culturel c'est simplement tout ce qui nous plaît, nous distrait, nous intéresse, nous aide à vivre. 'Tous les films naissent libres et égaux', a écrit André Bazin. »

François Truffaut

film noir: poursuite en voiture, ambiance nocturne, montage serré, décor urbain avec son pavé gras et ses flaques de lumière. Mais cette impression est immédiatement démentie par un travelling continu de deux minutes pendant lequel Chico discute avec un étranger de l'amour et du mariage. La question du genre ne se résout cependant pas, mais devient plus complexe à mesure que des éléments empruntés à d'autres genres s'insinuent dans l'histoire. L'iconographie de la comédie musicale, de la comédie et du western apparaît tour à tour, semant le trouble dans l'esprit du spectateur. À quel genre avons-nous affaire ? À quoi joue le metteur en scène ? Car il s'agit manifestement d'un jeu. Le film est truffé d'allusions à des œuvres anciennes ou contemporaines – comme le triple écran en référence à Abel Gance – et Charlie va jusqu'à s'adresser directement au public. L'alternance entre les genres se traduit également par des changements de ton. Bien que le film soit souvent extrêmement drôle, tournant par instants à la farce, il est également ponctué de scènes sombres, plus proches de la tragédie, comme le suicide de Thérésa et la mort de Léna.

On comprend vite que Truffaut n'a pas tant pour but de se plier à un genre que de le subvertir. Cette profusion d'éléments hétéroclites et apparemment fortuits ne forme que l'enveloppe extérieure du film. Au cœur de l'œuvre résident des thèmes centraux de l'univers de Truffaut : l'allégresse et le désespoir amoureux, la complexité de la relation de « couple », l'homme timide et hésitant (Charlie), la femme forte et décidée (Thérésa et Léna), le machisme envers les femmes. Son intérêt pour l'enfance se manifeste également, avant tout par le biais de Fido et de son approche pragmatique et ironique du monde qui l'entoure. Bien qu'il s'agisse à bien des égards d'un des films les moins réalistes de Truffaut, on y retrouve la présence emblématique du Paris de l'époque à travers le bar, le bal, l'appartement et les voitures.

La volonté de Truffaut de subvertir le film de genre est évidente dans la manière dont il transpose le roman de David Goodis, car son approche est caractéristique de sa conception de l'adaptation. S'il a été attiré par ce roman, c'est qu'il dépeint des personnages, des comportements et des lieux qu'il apprécie. Néanmoins, après avoir lu le livre, il le met de côté et n'en retire que ce qui l'intéresse, transformant ainsi l'œuvre originale. Le film devient une œuvre personnelle et le roman n'est qu'une inspiration, jamais un corset, comme cela aurait pu être le cas pour les cinéastes de la « tradition de la qualité ». Peut-être le thème principal du film est-il à nouveau le cinéma lui-même. Le réalisateur semble nous demander « Qu'est-ce que le cinéma ? » et, dans un style caractéristique de Truffaut, nous impliquer directement dans la formulation d'une réponse.

Tirez sur le pianiste n'est pas bien accueilli. Rares sont ceux qui décèlent la cohérence sous sa complexité de surface ou apprécient la dextérité avec laquelle il combine les préoccupations personnelles et esthétiques. Pour Truffaut, qui a un succès et un échec à son actif après deux longs métrages, c'est le retour à la case départ. Tout au long de sa carrière, il aura presque toujours plusieurs scénarios en chantier. Il se tourne vers un projet sur lequel il travaille depuis un certain temps déjà : une autre adaptation, cette fois du roman d'Henri-Pierre Roché intitulé *Jules et Jim*. Les raisons qui l'attirent vers Roché sont les mêmes que pour Maurice Pons : élégance du style et thèmes communs. Les incursions de Truffaut dans la production, le soutien financier apporté à des confrères et l'échec d'un film coûteux font traverser une mauvaise passe aux Films du Carrosse, en particulier après le décès d'Ignace Morgenstern. Berbert finance l'achat des droits de distribution, permettant ainsi le lancement du projet. Le budget est extrêmement modeste et les lieux de tournage sont souvent fournis par des amis.

« Avec mon goût pour les anti-héros et les histoires d'amour douces-amères, je me sens capable de réaliser le premier James Bond déficitaire. Est-ce que cela vous intéresse vraiment ? »

François Truffaut

CI-DESSUS
Scène de *Tirez sur le pianiste* (1960)
Le film s'ouvre sur Chico Saroyan (Albert Rémy) que l'on voit s'enfuir, puis se cogner contre un réverbère. Un passant (Alex Joffé) l'aide à se relever et lui confie comment il est tombé amoureux de sa femme deux ans après l'avoir épousée. Le changement de rythme (de la rapidité à la lenteur) et de ton (du thriller à la romance) souligne immédiatement le dessein ironique de Truffaut dans tout le film.

PAGE CI-CONTRE
Scène de *Tirez sur le pianiste* (1960)
Charlie se bat avec Plyne, puis il jette le couteau. Mais le machiste Plyne ne saurait souffrir un tel affront. Pour lui, Charlie ne peut se dérober maintenant et il commence à l'étrangler tout en déclamant que les femmes sont merveilleuses et suprêmes et en affirmant que Léna est une salope. Il exprime ainsi certains des sentiments de Charlie, sentiments qui ont conduit au suicide de son épouse.

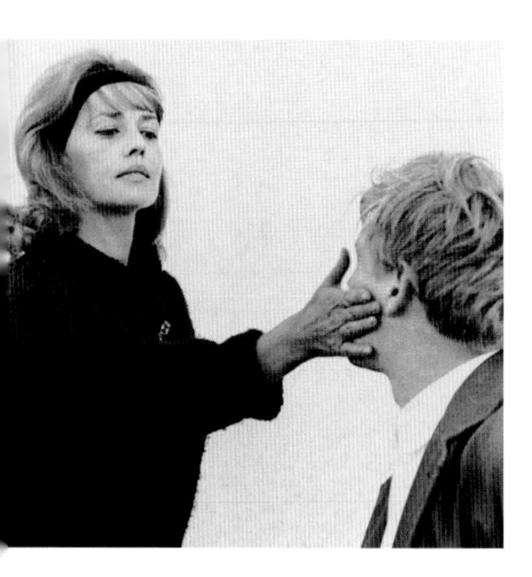

CI-DESSUS
Scène de *Jules et Jim* (1962)
Alors que Jules et Jim ne prêtent pas attention à Catherine, celle-ci gifle Jules (Oskar Werner), puis elle éclate de rire et leur confie qu'avant de les rencontrer, elle n'avait jamais ri.

PAGE CI-CONTRE
Scène de *Jules et Jim* (1962)
Catherine prend les traits de « Thomas » car seuls les hommes sont libres de faire ce qu'ils veulent.

À l'exception de Jeanne Moreau, les acteurs, conformément aux principes de la Nouvelle Vague, sont quasiment des inconnus.

Peu satisfait de son scénario, Truffaut finit par faire appel à Jean Gruault, dont il connaît et apprécie le travail. C'est la première d'une longue série de collaborations. L'équipe prend rapidement forme. Berbert assume le rôle crucial de producteur. Truffaut reprend une grande partie des techniciens de *Tirez sur le pianiste*, créant ainsi l'atmosphère «familiale» qu'il commence à affectionner. Il conserve également Suzanne Schiffman comme scripte, Claudine Bouché comme monteuse et Raoul Coutard comme directeur de la photographie. Georges Delerue signe une autre de ces bandes originales dont il a le secret. Le rôle de Jim revient au grand et élégant Henri Serre et celui de Jules à l'acteur allemand Oskar Werner. Marie Dubois réapparaît (dans le rôle de Thérèse) et la petite Sabine Haudepin incarne la fille de Jules et de Catherine. Des amis, comme Jean-Louis Richard, interprètent des rôles mineurs. Le tournage a lieu à Paris et dans le sud de la France, principalement dans les environs de la maison de Jeanne Moreau à La Garde-Freinet.

Dans le Paris de la Belle Époque, deux amis, Jules et Jim, partagent tout, y compris les femmes. En regardant les photos de statues classiques d'un ami, ils sont tous deux frappés par le sourire de l'une d'elles. Ils partent admirer l'original. À leur retour à Paris, ils rencontrent Catherine, qui a le même sourire que la statue. Jules la courtise et prévient Jim qu'il n'entend pas la partager. Puis il lui annonce son intention de l'épouser et de l'emmener vivre dans son Allemagne natale. La guerre éclate. Lorsqu'elle s'achève, Jim leur rend visite dans leur chalet; ils ont désormais une fille, Sabine. Catherine, qui semble agitée, séduit Jim. Jules accepte la situation. Jim rentre à Paris en promettant de revenir, mais les lettres se croisent, provoquant des malentendus. Jim retourne en Allemagne, où Catherine tente en vain d'avoir un enfant de lui. Leurs relations se détériorent. Catherine se tourne vers Albert, un ami guitariste. Jim repart. Des années plus tard, Jim croise par hasard Jules et Catherine dans un cinéma. Peu après, Catherine attire Jim dans sa voiture et se précipite du haut d'un pont en ruines, les tuant tous les deux. À leur enterrement, Jules se retrouve seul avec leurs cendres.

En surface, *Jules et Jim* est un autre film de genre, puisqu'il s'agit d'un film d'époque situé pendant les trente premières années du XXe siècle. Comme *Les Mistons*, c'est une adaptation, mais comme dans la nouvelle de Pons, Truffaut ne prend que ce qui l'intéresse dans le roman de Roché. Selon une approche désormais familière, le genre comme l'œuvre littéraire servent uniquement à véhiculer ses idées. Comme il le dit lui-même, «si les personnages n'ont pas d'intérêt, le film n'en a pas non plus. L'époque est tout à fait secondaire». Ce film est en quelque sorte une épopée, puisqu'il embrasse trois décennies, dont la Grande Guerre, et deux pays. Il traite de thèmes essentiels comme l'amour, l'amitié, le bonheur et la mort. Comme son créateur le déclare dans une lettre à Helen Scott, c'est «un hymne à la vie et à la mort».

Trois commentaires faits par Truffaut nous aident à mieux comprendre ses sources d'inspiration. Dans le premier, il écrit: «Il y a une chanson dans le film: elle s'appelle *Le Tourbillon de la vie*; elle en indique le ton et en révèle la clef.» Dans le chalet en Allemagne, Catherine la chante, accompagnée à la guitare par Albert, un autre de ses amants. Celui-ci est incarné par Serge Rezvani, qui est également l'auteur de la chanson. Ses paroles soulignent de manière émouvante le thème et l'atmosphère du film: «On s'est connu, on s'est reconnu / On s'est perdu de vue, on s'est r'perdu de vue / On s'est retrouvé, on s'est réchauffé / Puis on s'est séparé / Chacun de nous est reparti / dans l'tourbillon de la vie.» La mélodie ponctue le film, qui s'achève avec elle.

Dans un deuxième commentaire, Truffaut explique qu'à l'instar de Roché dans son roman, il a voulu explorer des alternatives au couple. « C'est également une histoire sur l'amour avec cette idée que, le couple n'étant pas toujours une notion réussie, satisfaisante, il semble légitime de chercher une morale différente, d'autres modes de vie, bien que tous ces arrangements soient voués à l'échec. » Enfin, il note : « [L'amour] est le sujet le plus important. C'est le sujet des sujets. Il peut très bien mériter qu'on lui consacre la moitié d'une carrière (comme Bergman), ou les trois quarts (comme Renoir). Parce que chaque récit a sa valeur propre de même que chaque amour est unique. »

Comme Truffaut le reconnaît, le film repose entièrement sur ses personnages. Et ceux-ci ne nous déçoivent pas. Celui de Catherine est magistral. Femme forte, intelligente, aux nerfs à vif et à la sensualité à fleur de peau, elle est l'un des plus beaux rôles de la carrière de Jeanne Moreau. Il assoit la réputation de celle qu'on considère déjà comme l'une des actrices françaises les plus douées de sa génération. Ce n'est pas un hasard si le nom de Catherine ne figure pas dans le titre du film. Cela est notamment dû au fait que nous n'avons pas directement accès à ses pensées. Nous la voyons presque exclusivement à travers les yeux de Jules et de Jim. Cela explique en grande partie son comportement apparemment aberrant et obstiné. Le machisme de l'époque enferme les femmes dans un carcan social dont Catherine s'arrache à plusieurs reprises en s'habillant en homme, en trichant, en tentant de s'immoler, en sautant dans la Seine, en changeant de partenaire, en jouant avec une arme et, enfin, en se suicidant avec Jim. Ce n'est que par la reconnaissance de l'oppression physique, sociale et politique dont sont victimes les femmes qu'il devient possible de comprendre ce personnage et, sans doute, le film dans son ensemble.

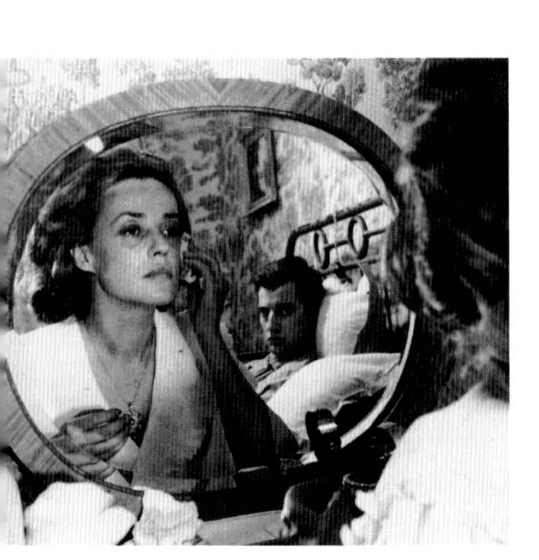

Scène de *Jules et Jim* (1962)
Quand Jules et Jim (Henri Serre, à droite) rencontrent Catherine (Jeanne Moreau), ils reconnaissent immédiatement le sourire de la statue. Jules épouse Catherine, qui veut par la suite coucher avec Jim.

Les personnages masculins sont admirablement brossés, même s'ils n'égalent pas celui de Catherine. Doux et tolérant à l'excès, Jules idolâtre sa femme et préfère tolérer ses amants que risquer de la perdre. Jim n'est pas coulé dans le même moule. Plus charismatique et plus dynamique que son ami, il finira pourtant par se montrer tout aussi indécis. Le caractère proprement masculin de leur amitié est évoqué par de petits détails : leurs goûts communs, leur passion pour la culture sous ses diverses formes, mais aussi pour le sport et les femmes.

Le thème de l'écriture, de nouveau présent, occupe une place centrale dans le film : au début, Jules est en train d'écrire un roman inspiré de son amitié avec Jim. Il devient par la suite botaniste et écrivain. Jim est un journaliste renommé. Les lettres jouent un rôle clé dans le contenu thématique et le déroulement de l'intrigue, puisqu'elles font la chronique des occasions manquées et reflètent, voire provoquent, les malentendus. Le succès du film peut également être attribué à une maîtrise croissante du langage cinématographique. *Jules et Jim* possède une cohérence, une fluidité qui s'expliquent par l'utilisation presque imperceptible de procédés cinématographiques se combinant pour en souligner les thèmes. Il serait trop long d'en entreprendre ici une analyse approfondie. Toutefois, une rapide évocation de l'importance de la musique, des angles et des mouvements de caméra, de la composition de l'image, des objets employés comme métaphores (les bicyclettes, les fenêtres, la statue, l'eau, le vitriol), ainsi que des formes géométriques comme le cercle (brisé ou non), suffit à donner une idée de la manière dont les éléments formels contribuent à la sémantique du film.

Interdit aux moins de dix-huit ans, *Jules et Jim* ne connaît qu'un succès modéré lors de sa sortie, le 24 janvier 1962. Il est momentanément interdit en Italie. Cependant, la tournée promotionnelle désormais rituelle et le travail acharné des agents finissent par assurer au film la place qu'il mérite au box-office.

CI-DESSUS
Scène de *Jules et Jim* (1962)
La pièce de théâtre suédoise qu'ils viennent de voir n'émeut pas les deux hommes. Catherine, en revanche, ne manque pas de remarquer que la fille lui plaît parce qu'elle veut être libre et vivre chaque instant de son existence.

CI-CONTRE
Scène de *Jules et Jim* (1962)
Jules et Jim parlent des hommes dans la pièce et Jules ne fait que citer des passages misogynes. Ils ignorent le personnage féminin et le dégradent. En signe de protestation, Catherine se jette dans l'eau, comme en préfiguration de son suicide.

ESCOFFIER
RENAULT
AUBERGE
PARKING
LE FLORIDE
LE FLORIDE
HOTEL
PARK

Pendant la préparation du scénario de *Jules et Jim*, qui a souvent lieu chez Jeanne Moreau, le metteur en scène et l'actrice ont une brève et fulgurante aventure. À la fin du tournage, celle-ci a cédé la place à une profonde et durable amitié. Comme à son habitude, Truffaut a déjà entamé le projet suivant. Commandé par le producteur Pierre Roustang, il s'agit d'un des cinq courts métrages destinés à être réunis sous le titre *L'Amour à vingt ans*. Épuisé par *Jules et Jim* et à cours d'inspiration, Truffaut se met néanmoins au travail. Il renoue avec les aventures d'Antoine Doinel et avec les scénarios de son cru. Schiffman, Coutard, Bouché et Delerue forment à nouveau «l'équipe». Jean-Pierre Léaud et Patrick Auffay retrouvent les rôles d'Antoine et de René, tandis qu'une inconnue de dix-sept ans, Marie-France Pisier, décroche celui de Colette. Tourné très rapidement à Paris en janvier 1962, *L'Amour à vingt ans* sort dans les salles en juillet de la même année. Truffaut réalise le montage des cinq sketches avec l'aide de Claudine Bouché. À sa grande déception, le film est un échec commercial et sera rapidement retiré du circuit.

Malgré cet accueil réservé, *Antoine et Colette* est un film charmant, intelligent et magnifiquement réalisé, imprégné par les compositions lyriques de Delerue et l'envoûtante mélodie de la chanson d'Yvon Samuel. Désormais âgé de dix-sept ans, Antoine vit seul dans un appartement et travaille dans une usine de disques. René et lui se racontent leurs histoires de cœur. Antoine s'est entiché de Colette, jeune fille qu'il a rencontrée aux Jeunesses musicales de France. Bien qu'elle ne fasse rien pour l'encourager, il est trop aveuglé par ses sentiments pour décoder ses signaux. La dernière scène le montre devant la télévision avec les parents de Colette tandis que celle-ci sort avec son petit ami.

Ce film utilise les mêmes ressorts que *Les Quatre Cents Coups*: un univers contemporain au réalisme acéré et un décor parisien bien connu du public français. Le profond attachement du réalisateur à sa ville est presque tangible: ses boulevards, ses cafés, ses bus, ses cinémas, ses immeubles et ses appartements sont évoqués d'une manière qui confère rétrospectivement au film un aspect quasi documentaire. La jeunesse des années 1960 est fidèlement dépeinte, avec sa musique (classique ou pop), ses pick-up, ses «surprises-parties», ses coups de téléphone, ses discussions dans les cafés, ses séances de cinéma, ses envies d'indépendance et, naturellement, ses premiers émois. L'authenticité du tableau est garantie par les éléments autobiographiques même si, comme on l'a déjà souligné, un certain nombre d'entre eux ont été retouchés. Antoine conserve notre sympathie, même si le détachement ironique de l'auteur à son égard s'est accentué. Reconnaissant les tâtonnements presque grotesques d'Antoine, sa maladresse et ses erreurs d'interprétation, nous sommes enclins à en rire et à les pardonner. L'issue de ces tentatives de séduction est claire bien avant la poignante scène finale où le grand et viril Albert enlève Colette, tandis qu'Antoine cherche le réconfort dans la compagnie de ses parents.

Divers éléments confirment que Truffaut est en train de créer autour d'Antoine Doinel une sorte de saga rappelant – à une échelle certes plus modeste – *La Comédie humaine* de Balzac ou *Les Rougon-Macquart* de Zola. L'un des plus efficaces est l'utilisation d'un flash-back faisant référence aux *Quatre Cents Coups*. Truffaut fait preuve d'une parfaite maîtrise de la structure narrative et son film possède toutes les qualités d'une excellente nouvelle: concision, sobriété, avec des thèmes sous-tendus par une riche imagerie et de discrets motifs faits de répétitions et de variations. Bien qu'il ne dure que 29 minutes, ce film est une œuvre aboutie, digne du statut de cinéaste accompli et de la renommée internationale dont Truffaut jouit en 1962.

CI-DESSOUS
Scène d'*Antoine et Colette* (1962)
Antoine Doinel (Jean-Pierre Léaud) rencontre Colette (Marie-France Pisier) lors d'un concert. Il tente de la séduire, mais elle n'est pas intéressée.

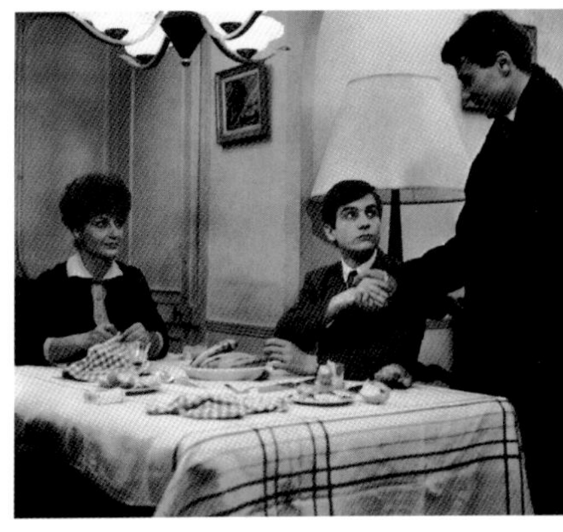

CI-DESSUS
Scène d'*Antoine et Colette* (1962)
Alors qu'il se trouve chez les parents de Colette, Antoine se sent mal à l'aise quand on lui présente le nouveau petit ami de Colette, Albert (Jean-François Adam).

PAGE CI-CONTRE
Scène d'*Antoine et Colette* (1962)
Antoine a un emploi et un appartement qui lui appartient. Il se prend en charge, ce qu'il a toujours rêvé de faire.

L'amour de la pellicule 1964–1969

Le mois de janvier 1962 apporte un brusque revers de fortune pour les représentants de la Nouvelle Vague. Chaque réalisateur possède désormais sa propre réputation et ses propres idées. Ce mouvement n'ayant jamais fait preuve d'une très grande cohésion, il n'est guère surprenant qu'il suffise d'un retentissant procès en diffamation impliquant Truffaut, Roger Vadim et Brigitte Bardot pour que la presse annonce la mort de la Nouvelle Vague. Les protagonistes n'ont plus vingt ans, les critiques sont devenus réalisateurs et chacun suit désormais sa voie.

Peu après le procès, Truffaut se rend à New York avec son épouse Madeleine. Il commence à envisager sérieusement d'écrire un livre sur Hitchcock. Il demande à Helen Scott de servir d'interprète et écrit à Hitchcock en juin 1962 : « Beaucoup de cinéastes ont l'amour du cinéma, mais vous, vous avez l'amour de la pellicule et c'est de cela que je voudrais parler avec vous. » Hitchcock accepte qu'il lui pose une série de questions préparées à l'avance et que leurs entretiens soient enregistrés. L'entreprise durera trois ans, et le livre, publié à New York et à Paris en 1966–1967, connaîtra un immense succès.

Truffaut est depuis longtemps attiré par les réalisateurs américains, et avant tout par Hitchcock. Quatre de ses cinq films suivants refléteront cette influence, tant sur le plan formel que thématique. Tout comme Hitchcock, Truffaut utilise le film de genre pour exprimer des préoccupations personnelles, évitant les sujets sociaux ou politiques pour se concentrer sur l'amour et les relations entre les êtres. Tous deux mettent plus l'accent sur les personnages que sur l'intrigue et stimulent l'intérêt du spectateur par le biais du suspense. Tous deux revendiquent l'héritage du cinéma muet et accordent par conséquent plus d'importance à l'aspect visuel qu'à l'aspect verbal. Tous deux sont adeptes de l'humour grinçant, et Truffaut va jusqu'à faire appel au même compositeur, Bernard Herrmann, pour ses musiques de film.

Durant l'été 1963, Jean-Louis Richard rédige en moins d'un mois le scénario de *La Peau douce*. L'équipe habituelle figure au générique, avec Jean-Pierre Léaud en tant qu'assistant de réalisation stagiaire. En surface, le film s'inspire largement de coupures de presse racontant une dramatique affaire de meurtre survenue dans un restaurant parisien. Mais, en réalité il plonge ses racines dans les rapports conflictuels de Truffaut avec sa propre expérience de l'hypocrisie au sein du couple. Contrairement à la plupart des films inspirés du même sujet, le choix du film relève ici d'une volonté de privilégier le point de vue de l'épouse éconduite plutôt que celui de la jeune amante.

Sur le tournage de *La Sirène du Mississippi* (1969)
La blonde et froide Catherine Deneuve aurait pu jouer dans un thriller d'Alfred Hitchcock. Louis considère Julie comme un parasite vivant en marge de la société.

« On m'a souvent accusé d'avoir des hommes faibles et des femmes qui décidaient, des femmes qui commandaient les événements ; mais je crois que c'est comme ça dans la vie. »

François Truffaut

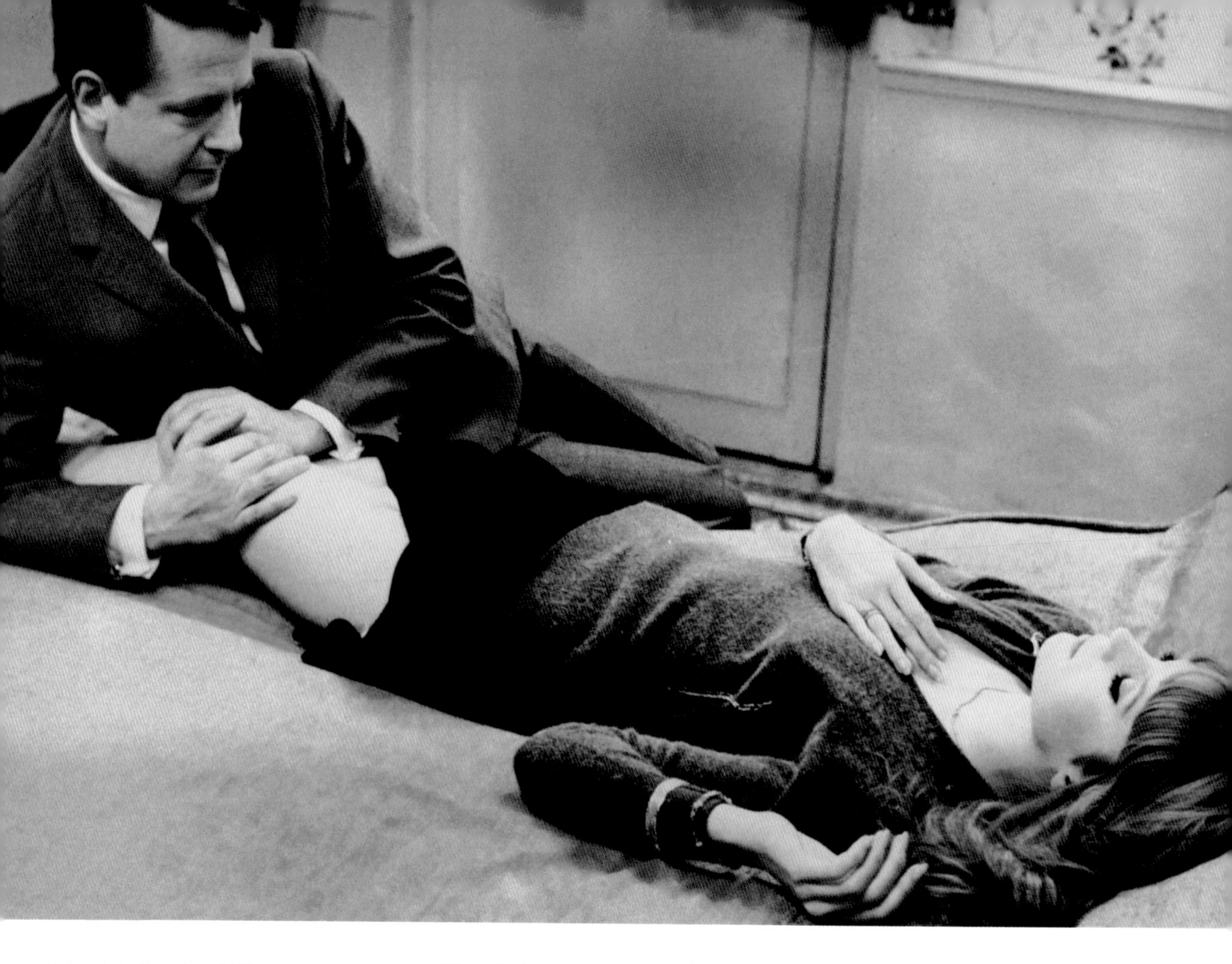

Scène de *La Peau douce* (1964)
Pierre et Nicole finissent par consommer leur amour. Pierre caresse la peau douce de Nicole. Truffaut aimait filmer les jambes de femmes.

Pierre Lachenay, universitaire de renom et célèbre personnage médiatique, vit à Paris avec son épouse Franca et sa fille Sabine. Lors d'un voyage à Lisbonne où il doit donner une conférence, il rencontre Nicole, une hôtesse de l'air. De retour à Paris, il entame une liaison avec elle. Nicole l'accompagne à Reims, où il doit présenter un film consacré à Gide. Pierre prend des photos de Nicole et de lui. Lorsque Franca découvre le pot aux roses, ils ont une violente dispute et il la quitte. Pierre se retourne alors vers Nicole, qui lui déclare que leur liaison est vouée à l'échec. Franca trouve le reçu des photos qu'il a donné à développer et va les chercher. Elle se rend alors dans le restaurant bondé où Pierre déjeune seul et, lui jetant les photos à la figure, l'abat d'un coup de carabine.

La Peau douce est l'un des films les plus sombres de Truffaut. Cette histoire d'adultère est tournée en noir et blanc, dans un Paris délibérément dénué de tout romantisme, avec des personnages d'une implacable médiocrité. Le cadre, les personnages et l'intrigue nous sont immédiatement familiers. Comme l'explique Truffaut, «la part réservée à la fiction pure est relativement mince parce que [je] préfère partir de faits qui sont racontés dans les journaux, ou qui me sont arrivés, ou qui m'ont été racontés par des gens que je connais. J'aime voir la vérification par la vie».

Pierre est un intellectuel réputé doublé d'un personnage public. Mais dans le privé, et en particulier dans la conduite de sa liaison extraconjugale, il se montre faible, indécis,

Scène de *La Peau douce* (1964)
Pour ce film, Truffaut s'est inspiré d'un fait divers réel mettant en scène une femme qui abat un homme dans un café. Quand l'épouse de Pierre, Franca (Nelly Benedetti), découvre l'adultère, elle assassine son mari dans un café, alors que ce dernier n'entretenait plus de liaison.

PAGES 42/43
Scène de *Fahrenheit 451* (1966)

égocentrique, terrifié à l'idée d'être démasqué. Malgré la sincérité des sentiments de Nicole à son égard, elle est constamment déçue par cet homme qui ne sait pas ce qu'il veut. Sa faiblesse est telle qu'ils se retrouvent par sa faute dans des situations embarrassantes qui les contraignent à repousser sans cesse le moment de consommer leur amour, accumulant ainsi la frustration. Franca est la seule personnalité forte du trio. «Je n'aime pas les situations ambiguës», déclare-t-elle sans ambages à son mari. Dans le conflit permanent qui oppose le provisoire au définitif dans tant de films de Truffaut, Franca se situe à un extrême: l'absolu. Son geste, qui consiste à assassiner son mari en public, est parfaitement conforme à son refus des compromis.

Alors qu'il a déjà le moral au plus bas, Truffaut va connaître une période agitée. Les Films du Carrosse sont en difficulté, et au début de l'année 1965, Madeleine se décide enfin à demander le divorce. Si celui-ci s'effectue à l'amiable, la maison de production perd en revanche ses bureaux. Truffaut ne tarde pas à en trouver d'autres rue Robert Estienne. Il a six projets en chantier, dont seulement deux verront le jour. Lorsqu'on lui propose de tourner *Bonnie and Clyde* (1967), il commence à travailler sur le script avant de décliner l'offre.

L'un de ses projets est *Fahrenheit 451*, dont la période de gestation se révélera laborieuse. Les principaux soucis concernent l'acquisition des droits du roman éponyme de Ray Bradbury, les coûts de tournage d'un film de science-fiction et le casting.

«De toute façon, le résultat d'un film – et ce n'est pas une bonne chose d'ailleurs – n'est pas proportionnel au travail fourni, ni à l'argent dépensé, ni à l'intelligence déployée. Ce n'est proportionnel à rien du tout. C'est une espèce de chimie qui se fait ou non. Bien souvent, je me suis donné un mal de chien pour des films qui ont échoué.»

François Truffaut

Le film est tourné en Angleterre, principalement à Pinewood, malgré l'opinion peu flatteuse de Truffaut à l'égard du cinéma et des acteurs anglais. L'ambiance du tournage n'est guère joyeuse: les relations jusque-là excellentes entre Truffaut et Oskar Werner se dégradent, le réalisateur étant frustré par son incapacité à travailler sur les dialogues de ce film en langue étrangère.

Selon Truffaut, le scénario provient à 60% du roman de Bradbury et à 40% de son apport personnel. L'adaptation est le fruit d'une nouvelle collaboration avec Jean-Louis Richard; le dramaturge anglais David Rudkin et l'Américaine Helen Scott y contribuent également. L'action se déroule dans le futur, en un lieu indéterminé où règne un régime totalitaire et répressif. Montag est un pompier dont la mission est de dénicher les livres pour les brûler. Il fait bien son travail et est en passe d'obtenir une promotion. En rentrant du travail en monorail, il discute avec sa jeune voisine, Clarisse. Celle-ci le perturbe en lui demandant pourquoi il fait un travail si déplaisant. Son épouse, Linda, est une femme passive, superficielle et narcissique. Frustré, Montag lit *David Copperfield* en secret. Il se met à dévorer des livres; Linda le somme de choisir entre elle et la lecture. L'oncle et la tante de Clarisse, chez qui elle vit, sont arrêtés. Clarisse parvient à s'échapper et révèle à Montag l'existence de communautés qui préservent les livres en les apprenant par cœur. Elle a décidé de rejoindre l'une de ces communautés et invite Montag à venir avec elle. Montag ne se sent pas prêt. Cependant, il est de plus en plus distrait dans son travail. Linda dénonce son mari aux autorités en révélant la présence de livres chez eux. Montag participe à la descente des pompiers dans sa propre maison. Il retourne son lance-flammes contre le capitaine et s'enfuit pour rejoindre Clarisse et les hommes-livres.

À première vue, *Fahrenheit 451* est un film de science-fiction, impression confirmée par l'iconographie conventionnelle du genre: le monorail, l'absence d'écrits, l'écho de «Big Brother», les pompiers qui allument les incendies au lieu de les éteindre, les brigades volantes. Cependant, il devient rapidement clair que les éléments de science-fiction ne sont qu'un mince vernis. La voiture de pompiers semble tout droit sortie d'un vieux film muet et les uniformes évoquent plus l'époque nazie qu'un lointain avenir. Même en 1966, l'ambiance «Big Brother» n'a rien de nouveau. Truffaut demande d'ailleurs au compositeur Bernard Herrmann d'écrire «une musique dramatique de type traditionnel sans aucun caractère futuriste». Selon lui, le film ne comporte qu'une seule séquence de pure science-fiction: celle où interviennent les brigades volantes. Tout contribue à démystifier les éléments futuristes, notamment les scènes humoristiques, comme celle où Linda est captivée par une émission télévisée qui se résume à la répétition monotone de phrases extraites d'un manuel d'anglais. Même l'emblème des pompiers – la salamandre, animal censé résister au feu – est empreint d'ironie.

Qu'est-ce donc qui attire Truffaut dans le roman de Bradbury et pourquoi opte-t-il pour ce genre? La principale explication est sa propre attirance pour la littérature, l'importance qu'il accorde à l'écrit et son horreur des autodafés nazis. Ce choix lui permet également de rendre hommage au cinéma muet (et donc aux films d'Hitchcock) qu'il admire tant, en mettant en avant l'aspect visuel. La longue séquence d'ouverture, totalement muette, en offre une bonne illustration. Il y a une délicieuse ironie à mettre l'image au premier plan dans un film soulignant l'importance de la littérature. On retrouve également l'étude désormais familière des relations amoureuses avec la rupture d'un couple (Linda-Montag) et la formation d'un autre (Clarisse-Montag). Mais les personnages manquent d'épaisseur et les touches subtiles qui font la force de Truffaut brillent par leur absence. L'obsession des livres et la parodie de science-fiction occupent l'espace normalement alloué à l'observation sociale et psychologique.

Scène de *La Mariée était en noir* (1967)
C'est Delvaux (Daniel Boulanger) qui a appuyé sur la gâchette de l'arme qui a tué David. Il ne savait pas qu'elle était chargée. Les cinq hommes présents dans la pièce décident de partir, de se séparer et de recommencer leur vie.

CI-DESSUS
Scène de *La Mariée était en noir* (1967)
Julie traque chacun des cinq hommes dans le but de les abattre l'un après l'autre pour assouvir sa vengeance. Elle devient le modèle de l'artiste Fergus (Charles Denner). Ce dernier tombe amoureux d'elle et la peint sur le mur de sa chambre.

CI-CONTRE
Scène de *La Mariée était en noir* (1967)
Fergus demande à Julie de poser en Diane chasseresse, ignorant que Julie est prête à le tuer plutôt qu'à lui prendre son cœur.

Scène de *Baisers volés* (1968)
Après une caresse, Antoine Doinel (Jean-Pierre Léaud) vole un baiser à la prude Christine Darbon (Claude Jade) dans la cave de ses parents. Dans *Domicile conjugal*, Christine lui volera à son tour un baiser dans la cave. Truffaut crée un lien visuel entre les films du cycle Doinel au travers de ces baisers et des vêtements rouges de Christine. Voir page 56 pour *Domicile conjugal*.

Interrogé sur ce film en 1970, Truffaut explique sa haine de la violence: «Pour moi, ce qui remplace la violence, c'est la fuite, non pas la fuite devant l'essentiel, mais la fuite pour obtenir l'essentiel. Je crois avoir illustré cela dans *Fahrenheit 451.*» Dès l'enfance, il a toujours évité la confrontation, cherchant à parvenir à ses fins par des moyens plus détournés. À ses yeux, ce film est donc «l'apologie de la ruse. 'Ah bon! Les livres sont interdits? Très bien, on va les apprendre par cœur!' C'est la ruse suprême». Mais, bien que sa passion des livres transparaisse et que la notion d'«hommes-livres» éveille la curiosité, ces éléments ne suffisent pas à faire de *Fahrenheit 451* l'une de ses meilleures œuvres.

Le public boude le film et les finances des Films du Carrosse sont de nouveau mal en point. Truffaut doit riposter de toute urgence. Après *Tirez sur le pianiste* de David Goodis, il se tourne vers un autre thriller américain, *The Bride Wore Black* (*La Mariée était en noir*) de William Irish (nom de plume de Cornell Woolrich). Il signe ainsi sa deuxième adaptation en tandem avec Jean-Louis Richard. Truffaut explique bien l'attrait que William Irish exerce sur lui: dans ses romans, les gangsters sont relégués au second plan, tandis que le devant de la scène est occupé par des hommes et des femmes ordinaires, bien qu'extrêmement vulnérables et sensibles, qui foncent tête baissée vers l'amour et la mort. L'intrigue de *La Mariée était en noir* est simple: le mari de Julie Kohler est tué d'une balle de revolver en sortant de l'église le jour de son mariage; bien qu'on apprenne par la suite qu'il ne s'agissait en réalité que d'un grotesque accident, Julie, assoiffée de vengeance, identifie les cinq hommes impliqués dans l'affaire et les traque sans relâche pour les tuer un à un.

L'influence d'Hitchcock est particulièrement marquée dans *La mariée était en noir*. On peut discerner de nombreux parallèles. Bien qu'elle abatte froidement cinq personnes, Julie est une héroïne pour laquelle nous éprouvons de la sympathie, et dont nous applaudissons la réussite une fois sa mission accomplie. Sur le plan structurel, Truffaut dévie du roman de William Irish en plaçant le dénouement assez tôt dans le film, procédé employé par Hitchcock dans *Sueurs froides* (1958) et dans *Psychose* (1960). *La Mariée était en noir* n'en demeure pas moins un thriller et une exploration des mécanismes du suspense, même s'il ne s'agit pas d'un «polar» au sens traditionnel du terme. Une fois le motif de ses actes révélé, le public ne s'intéresse plus à la cause des meurtres commis par Julie, mais à la manière dont elle va les commettre. Tout comme Hitchcock, Truffaut peut alors se concentrer sur le suspense et la tension créés au sein de chaque séquence. La troisième similarité réside dans un mépris quasi total du réalisme. Ni l'un ni l'autre ne se donne la peine de veiller à la vraisemblance de l'ensemble. Ils ont d'autres chats à fouetter. Enfin, Truffaut met à nouveau un film de genre – ici un thriller – au service de ses propres préoccupations. Le film ne s'intéresse que très marginalement à la recherche des meurtriers et la police, très discrète, est présentée sous un jour plutôt comique.

Malgré ces influences variées, l'idée du héros «seul contre cinq» n'est pas nouvelle chez Truffaut: elle est déjà présente dans *Les Mistons* (le couple face aux enfants) et réapparaîtra dans *Une belle fille comme moi*. Truffaut utilise ici ce procédé, de façon quelque peu schématique, pour dépeindre cinq hommes ayant chacun une approche différente des femmes et de l'amour: Bliss le vaniteux, Coral le rêveur, Morane le pompeux, Delvaux la brute et Fergus le séducteur. Bien que très différents les uns des autres, tous, à des degrés divers, se montrent infidèles, lubriques, superficiels et affichent une vision stéréotypée du sexe opposé. Point de mire du film et moteur de l'intrigue, Julie est un de ces personnages de maîtresses femmes chers à Truffaut. En comparaison, les hommes paraissent comme toujours faibles, hésitants et immatures; Julie n'a aucune peine à les faire tomber dans ses pièges en exploitant leurs faiblesses.

Scène de *Baisers volés* (1968)
Quand Fabienne Tabard (Delphine Seyrig) reçoit une lettre d'amour de la part d'Antoine dans laquelle il fait référence au *Lys dans la vallée* d'Honoré de Balzac (voir page 14), elle va immédiatement le trouver et ils font l'amour, à la condition de ne plus jamais se revoir ensuite. *Le Lys dans la vallée* est un livre que Truffaut a lu dans sa jeunesse; d'autres références à Balzac figurent également dans *Les Quatre Cents Coups* (Antoine dresse un petit autel à Balzac, qui partira en fumée) et *La Peau douce*.

Elle est l'une des meilleures illustrations de la position «absolutiste», accomplissant la tâche qu'elle s'est fixée avec une implacable détermination.

Le tournage de *La mariée était en noir* est assombri par la mort de Françoise Dorléac, décédée dans un accident de voiture. Truffaut en est profondément affecté. Il est hanté par l'idée de la mort. Ce thème, présent dans beaucoup de ses films, passera au premier plan dans *La Chambre verte*. *La mariée était en noir* est bien accueilli par le public. Truffaut, quant à lui, estimera plus tard que le choix de Jeanne Moreau était une grossière erreur de casting et regrettera d'avoir tourné ce film en couleur, qui «lui a enlevé tout mystère». Il émet la théorie selon laquelle le passage du noir et blanc à la couleur, tout comme auparavant celui du muet au parlant, a été préjudiciable à certains acteurs, et a le sentiment que Jeanne Moreau en fait partie.

Après deux scénarios relativement rigides et détaillés, celui de son film suivant, *Baisers volés*, est plutôt sommaire et fluide; il fait l'objet de remaniements de dernière minute et de nombreuses improvisations sur le plateau. Ce film, le troisième de la saga Doinel, Truffaut y pense depuis trois ans environ. En janvier 1968, il achève rapidement le choix des acteurs et des techniciens.

Désormais adulte, Antoine termine son service militaire et s'engage tour à tour comme veilleur de nuit dans un hôtel, puis comme détective privé et enfin comme réparateur de télévisions. Sa vie sentimentale est tout aussi chaotique. Il fréquente les

« Si je ne vote pas, c'est que pour moi les élections sont truquées ; je veux dire qu'elles sont simplement sans signification et ne représentent pas un vrai choix ; c'est un jeu social qui est faussé à la base, je crois. »

François Truffaut

prostituées, se laisse séduire par une femme mûre et finit par demander la main de Christine. L'intrigue, composée d'une suite de saynètes, ressemble à celle des *Mistons* et des *Quatre Cents Coups* par son aspect picaresque. Comme l'écrit Truffaut, « on avait bourré le film de toutes sortes de choses liées au thème que Balzac appelle 'Un début dans la vie' ». Ce n'est pas le déroulement de l'histoire qui retient notre intérêt, mais notre compréhension de plus en plus approfondie de la personnalité d'Antoine et de ceux qui l'entourent.

Bien que réalisé très rapidement, *Baisers volés* est une œuvre riche et inspirée où se superposent des thèmes variés. Si les films précédents étaient principalement influencés par Hitchcock, *Baisers volés* souscrit sans doute à une vision du monde davantage inspirée de Renoir. Une autre évolution significative est à noter, cette fois sur le plan de la dichotomie entre le provisoire et le définitif. Depuis sa conception jusqu'à sa réalisation, l'ensemble du film se fonde sur le provisoire. La vie d'Antoine ne comporte pas grand-chose de stable, et au travail comme en amour, il ne cesse de changer de cap de façon parfois déconcertante. Cependant, la notion d'absolu n'est pas totalement absente. Sa présence est symbolisée par l'inconnu qui suit Christine pendant une bonne partie du film et qui, à la fin, se décide enfin à lui parler. Il enjoint la jeune fille à quitter Antoine, qui ne peut lui apporter qu'un amour et une vie provisoires, tandis qu'il lui offre un amour définitif, absolu. Bien que l'histoire s'achève sur la perspective du mariage d'Antoine, rien ne tend à prouver qu'il est destiné à durer.

Sur le tournage de *Baisers volés* (1968)
Le film est dédié à Henri Langlois (à droite), légendaire fondateur de la Cinémathèque française en 1936, organisme indépendant à but non lucratif où se retrouvaient tous les amoureux du cinéma. Le 9 février 1968, le ministre de la Culture André Malraux relève Henri Langlois de ses fonctions de directeur de cette institution. Truffaut, alors en plein tournage de *Baisers volés*, et les partisans de la Nouvelle Vague prennent la défense de Langlois et appellent les réalisateurs du monde entier à refuser que leurs films soient diffusés à la Cinémathèque. Les 12 et 14 février, des marches de protestation ont lieu (acteurs et réalisateurs sont violemment pris à parti par la police), et ce n'est qu'après de nombreuses négociations que Henri Langlois est finalement rétabli dans ses fonctions le 22 avril. Le 2 mai, la Cinémathèque rouvre ses portes devant une foule enthousiaste qui entend Langlois s'exclamer : « Et maintenant, place au cinéma ! »

L'attitude complexe de Truffaut à l'égard des femmes dessine ici de nouveaux méandres. « Les femmes sont-elles magiques ? » est une question que les personnages masculins se posent dans plusieurs de ses films. Ange ou putain ? Les deux « types » sont présents. Mme Tabard contribue largement à démythifier la femme. Elle descend du piédestal sur lequel Antoine l'avait placée et le rejoint dans son lit pour partager des plaisirs pour le moins terrestres et peu angéliques. La relation en dents de scie d'Antoine avec Christine, qu'il entretient tout en continuant à fréquenter les prostituées, reflète une vision plus prosaïque et plus quotidienne de l'amour. Le personnage de Doinel s'étoffe avec l'âge, Truffaut ayant donné toute latitude à Jean-Pierre Léaud pour contribuer à sa création. Antoine demeure toutefois un jeune homme à la fois impétueux, naïf, charmant, exaspérant et apparemment incapable de se tenir à quoi que ce soit.

Pendant une bonne partie du tournage, Truffaut fait campagne en faveur d'Henri Langlois et de sa Cinémathèque, qui a joué un rôle si crucial dans son propre développement. Cette campagne fortement médiatisée laisse présager les événements de mai 1968. L'affaire nous en dit long sur le thème des films de Truffaut. « Pourquoi ne faites-vous pas de films politiques ? », demande un personnage secondaire dans *La Nuit américaine*. Il ressort clairement des 24 films qu'il réalisera au cours de sa carrière que ce n'est pas sa tasse de thé. Pour Truffaut, la politique et le cinéma ne font pas bon ménage : la vie est plus complexe que les scénarios en noir et blanc des idéologies. Il confie à Helen Scott qu'il appartient à une génération « désengagée » et affirmera dans une interview au *Nouvel Observateur* que « la vie n'est ni nazie, ni communiste, ni gaulliste, mais anarchiste ».

Le printemps 1968 constitue une nouvelle période agitée dans la vie de François Truffaut. Tombé amoureux de Claude Jade durant le tournage de *Baisers volés*, il est à deux doigts de l'épouser. Par ailleurs, les contacts qu'il noue avec des détectives privés lors de la préparation du film l'incitent à rechercher l'identité de son père biologique. L'enquête le mène jusqu'à Roland Lévy, dentiste originaire de Bayonne exerçant désormais à Belfort. Roland Lévy est juif. Bien que la famille de sa mère conteste les résultats de l'enquête, Truffaut croit y trouver l'explication de certains de ses traits de caractère, « son penchant

Sur le tournage de *Baisers volés* (1968)
Tournage de la séquence d'ouverture. La tour Eiffel est une image récurrente dans les films de Truffaut. En réalité, Truffaut avait été engagé en 1957 pour réaliser un court métrage racontant l'histoire d'un homme qui voit la tour Eiffel, mais qui ne peut l'atteindre. Cet épisode a inspiré le générique des *Quatre Cents Coups*. La tour Eiffel apparaît également dans la scène d'ouverture de *L'Amour en fuite*. Truffaut, dont l'appartement avait une vue imprenable sur le monument, collectionnait les répliques miniatures de la tour Eiffel, et l'une d'elles est même utilisée comme arme dans *Vivement dimanche!*

pour les proscrits, les martyrs, les marginaux». Enfin, il est encore sous le coup des bouleversements émotionnels provoqués par ces événements lorsque sa mère décède en août 1968. Il ne lui a toujours pas pardonné – et réciproquement.

Contre toute attente, *Baisers volés* est un succès commercial. Enjoué, drôle, nostalgique, ce film tourne le dos aux bouleversements politiques et sociaux que vient de traverser la France, faisant oublier au public cette période mouvementée. Rendus confiants par ce triomphe, Truffaut et les Films du Carrosse se lancent dans une nouvelle entreprise. Tout comme *La mariée était en noir*, le film suivant est adapté d'un roman de William Irish, *Waltz into Darkness* (*La Sirène du Mississippi*). Il est en partie tourné dans le décor exotique – et donc coûteux – de l'île de la Réunion et les rôles principaux sont confiés aux deux plus grands noms du cinéma français de l'époque: Jean-Paul Belmondo et Catherine Deneuve. Deux acteurs dont l'image à l'écran est déjà bien établie.

Louis Mahé et Julie Roussel font connaissance par le biais des petites annonces. Tous deux sont en quête d'amour et d'une relation stable. Julie s'embarque pour la Réunion afin d'y rencontrer Louis, qu'elle ne tarde pas à épouser. Très fortuné, Louis dépose tout son argent sur un compte commun. Julie disparaît avec l'argent. Son véritable nom est Marion Bergamo et elle travaille pour son amant, Richard. La véritable Julie Roussel lui a raconté son histoire sur le bateau et Richard l'a jetée par-dessus bord pour que Marion puisse prendre sa place. Avec Berthe, la sœur de Julie, Louis embauche un

CI-DESSUS
Scène de *La Sirène du Mississippi* (1969)
Louis Mahé (Jean-Paul Belmondo) épouse Julie Roussel (Catherine Deneuve), qui se révèle être un véritable escroc, lui dérobant près de 28 millions de francs. Il la poursuit et tue un détective privé pour la protéger. Après cela, ils font l'amour passionnément.

CI-CONTRE
Scène de *La Sirène du Mississippi* (1969)
Quand Louis rattrape Julie, il veut la tuer. Elle lui confie qu'elle veut mourir.

détective privé, Comolli, pour retrouver Marion et la livrer à la police. Revenu en France, Louis tombe sur Marion par hasard et tente de l'abattre, mais ne peut se résoudre à appuyer sur la gâchette. Elle lui explique que Richard s'est enfui avec l'argent. Louis et Marion entament une nouvelle vie dans une villa près d'Aix-en-Provence. Un beau jour, Louis tombe nez à nez avec Comolli, qui est toujours sur les traces de la jeune femme. Sachant qu'il va la dénoncer pour le meurtre de Julie Roussel, Louis tue le détective et l'enterre dans la cave. Le couple s'enfuit à Lyon. Le corps de Comolli est retrouvé et l'affaire fait la une des journaux. Louis rentre à la Réunion et vend son entreprise. De retour en France, il cache l'argent dans leur appartement. En rentrant chez eux, Louis et Marion trouvent la police en train de fouiller l'immeuble et s'enfuient à nouveau. Marion tente d'empoisonner Louis, mais celui-ci, comprenant son stratagème, lui déclare qu'il l'aime encore et qu'il lui pardonne. Marion s'effondre et affirme qu'elle n'est pas digne de cet amour. Louis lui répond que l'amour est fait à la fois de joie et de souffrance.

La Sirène du Mississippi est une subtile analyse de l'évolution d'une relation complexe. Contrairement à la plupart des films de Truffaut, il ne comporte pas de véritable menace extérieure vis-à-vis du couple. Marion est orpheline, prostituée, complice de meurtre et coupable d'une tentative de meurtre. C'est une jeune femme dégourdie, cynique et avide de confort matériel. À l'inverse, Louis se révèle naïf, confiant et peu soucieux de sa fortune. Le film retrace le cheminement de deux individus que tout sépare et qui parviennent à une compréhension mutuelle. La conclusion est délicieusement ambiguë : on ignore dans quelle mesure Louis a perdu son détachement vis-à-vis des biens de ce monde et Marion a appris à lui faire confiance, ce que souligne dans le dernier plan la référence à *La Grande Illusion* (1937) de Renoir. Comme Maréchal et Rosenthal avant eux, Louis et Marion laissent planer le doute sur leur destination et leur avenir.

Ce film constitue pour l'heure l'énonciation la plus claire de la question du provisoire et du définitif. Louis explique à Marion ce que Julie Roussel et lui recherchaient dans leurs échanges épistolaires : «Nous cherchions à établir quelque chose de définitif, mais tu es arrivée, m'apportant le provisoire.» À mesure que grandit son amour pour Marion, qui triomphe même de sa soif de vengeance, celui-ci devient pur, aveugle, absolu, acceptant même sa tentative d'empoisonnement. Face à cette passion inébranlable et désintéressée, Marion s'abandonne et reconnaît que leurs destins sont liés, du moins pour l'instant. *La Sirène du Mississippi* marque une nouvelle étape dans l'éternel corps à corps qui oppose Truffaut à la notion de couple. Il semble être parvenu à un modus vivendi – et ce, dans des circonstances et avec les personnages les plus improbables qui soient. Mais qu'en est-il réellement ? La dernière scène, avec sa référence à *La Grande Illusion*, ne laisse-t-elle pas entendre que «la grande illusion» est l'amour lui-même ?

Le film connaît à son tour un (relatif) échec commercial. Le public ne peut pas plus admettre l'idée d'un Belmondo «innocent» que d'une Deneuve «corrompue». Le tournage de *La Sirène du Mississippi* est pour Truffaut un moment de bonheur d'une grande intensité, le réalisateur s'étant une fois de plus épris de son actrice principale.

L'idée du film suivant, *L'Enfant sauvage*, est en gestation depuis un certain temps déjà. L'intérêt que Truffaut porte depuis longtemps au bien-être et à la protection des enfants provient de sa propre expérience. Comme toujours se pose le problème du financement ; c'est finalement la United Artists qui fournira les fonds nécessaires. L'équipe subit peu de changements, à l'exception notable du nouveau directeur de la photographie, Nestor Almendros, bien connu pour son travail avec Rohmer. C'est le premier d'une série de neuf films qu'Almendros réalisera avec Truffaut, et le début d'une relation professionnelle et personnelle extrêmement féconde. Entamé début juillet 1969, le tournage s'achève fin août.

*«*Johnny Guitar *[1954] est un faux western, de même que* La Sirène [du Mississippi] *est un faux film d'aventures. Mon goût me porte à faire semblant de me soumettre aux lois des genres hollywoodiens (mélodrames, thrillers, comédies, etc.).»*

François Truffaut

«Tous les rôles qu'un acteur a tournés s'accumulent et lui donnent une image contre laquelle on ne peut pas lutter tout à fait. Il vaut mieux jouer avec.»

François Truffaut

Tirée de faits réels, l'histoire se fonde sur deux rapports médicaux du Dr Jean Itard. Le premier, rédigé en 1801, est un document purement scientifique, tandis que le second, daté de 1806, est une demande de subvention. Truffaut reste extrêmement fidèle à ces textes. En 1798, un garçon d'une dizaine d'années est pourchassé et capturé par des chasseurs dans une forêt de l'Aveyron. À la demande du Dr Itard, l'enfant – apparemment sourd-muet – est emmené à Paris dans un institut spécialisé. Les médecins établissent qu'on a tenté de lui trancher la gorge, puis qu'on l'a probablement laissé pour mort. L'enfant ne faisant aucun progrès à l'Institut national des sourds-muets, le Dr Pinel, qui le croit attardé, suggère de l'envoyer dans un asile psychiatrique. Itard parvient à obtenir la garde de l'enfant, qu'il confie aux bons soins de Mme Guérin. La seconde moitié du film décrit principalement les efforts du Dr Itard pour tenter d'éduquer son protégé baptisé Victor. L'enfant progresse lentement et difficilement. Un beau jour, il disparaît. Mais il finit par revenir, et le film s'achève lors de son retour auprès du Dr Itard.

L'Enfant sauvage est peut-être l'œuvre la plus engagée de Truffaut. Rares sont les causes qui l'ont poussé à s'impliquer directement; la protection de l'enfance en est une. Totalement centré sur le personnage de Victor, le film présente un fort aspect documentaire. Malgré l'attirance de Truffaut pour le style littéraire, voire poétique, du Dr Itard, ce film n'est pas à proprement parler une œuvre de fiction, puisqu'il se conforme fidèlement aux événements et aux personnages réels. Ces éléments contribuent à faire de *L'Enfant sauvage* un film polémique, le réalisateur cherchant à sensibiliser le public et à stimuler le débat autour de la question de l'enfance maltraitée. L'auteur instaure au cœur du film une tension, qui provient de la dualité de la société moderne et civilisée. D'un côté de la balance se trouvent les vertus positives de l'éducation, les lents mais constants progrès de l'enfant; de l'autre, le comportement cruel et pervers d'individus prétendument civilisés. Victor est poursuivi par des chasseurs bien plus barbares que lui, raillé par des paysans, observé comme un animal de foire par de riches Parisiens. Même un médecin extrêmement instruit le relègue rapidement au rang d'«idiot» tout juste bon pour l'asile. Rien d'étonnant, donc, à ce que la scène la plus convaincante du film soit celle où Itard punit injustement Victor dans l'espoir de déterminer s'il a ou non acquis la notion du bien et du mal.

L'Enfant sauvage constitue d'une certaine manière un tournant dans la carrière de Truffaut. Pour la première fois, il interprète lui-même le rôle du père et se retrouve ainsi confronté à certains de ses dilemmes. Ce film est dédié à Léaud et, bien que le rôle soit confié à un autre Jean-Pierre, il ne fait aucun doute que l'enfant sauvage n'est autre que le turbulent héros des *Quatre Cents Coups*, et donc Truffaut lui-même.

Bien qu'il affirme que c'est dans la nature du personnage, l'interprétation de Truffaut manque de naturel et de nuance; il campe un Itard peu convaincant. Le film, qui accorde un peu trop de place à l'étude des mécanismes pédagogiques, se révèle trop technique, dénué d'humour et de rebondissements. Malgré un scénario bien ficelé, l'interprétation éblouissante de Jean-Pierre Cargol, l'utilisation efficace de l'imagerie (par exemple, les portes et les fenêtres) et la contribution saisissante d'Almendros, *L'Enfant sauvage* n'est donc pas l'une des meilleures œuvres de Truffaut.

Néanmoins, il est globalement bien accueilli et connaît un certain succès au box-office, compensant ainsi les recettes décevantes de *La Sirène du Mississippi*. Ce succès commercial restaure les finances des Films du Carrosse. La liaison de Truffaut avec Catherine Deneuve lui apporte bonheur et stabilité. La décennie s'achève sur une note positive et Truffaut affronte l'avenir avec un regain de confiance. Malheureusement, cette période faste se révélera elle aussi «provisoire».

«Cela me serait absolument impossible [de faire un film 'engagé'] car je suis le désengagement personnifié, parce que j'ai l'esprit de contradiction poussé très fort.»

François Truffaut

CI-DESSUS
Scène de *L'Enfant sauvage* (1969)
Au début du film, Victor est pourchassé comme un animal.

CI-DESSOUS ET PAGE CI-CONTRE
Sur le tournage de *L'Enfant sauvage* (1969)
François Truffaut passe beaucoup de temps avec Jean-Pierre Cargol pour tirer le meilleur parti du jeune acteur.

Victor mène une vie heureuse à l'écart de la «civilisation» jusqu'à ce qu'il entre en contact avec elle et qu'on lui interdise de boire de l'eau pure, de marcher dans les bois, de laisser la pluie ruisseler sur son visage ou de danser sous la pleine lune. Malheureux, Victor s'échappe. Mais il revient bientôt vers le Dr Itard car il a perdu tous les sens dont il avait besoin pour survivre dans la nature. Fixe et dur, le dernier regard de Victor en direction du docteur est une accusation, le symbole qu'une injustice a été commise: Victor est désormais prisonnier de la civilisation.

Le cinéma règne 1970–1976

Au début des années 1970, Truffaut jouit d'une solide réputation. En France, il est devenu un réalisateur acclamé qui accorde de longues interviews et apparaît fréquemment à la télévision. Pour son projet suivant, il revient à Antoine Doinel dans l'idée de terminer le cycle. Le budget est modeste et l'appartement situé au-dessus des bureaux des Films du Carrosse sert de domicile aux deux héros.

L'intrigue est relativement simple. Antoine, désormais marié à Christine, travaille chez un fleuriste et tente de mettre au point un œillet d'un «rouge absolu». Nous pénétrons dans l'intimité quotidienne du couple: les cours de violon donnés par Christine, les expériences d'Antoine teignant des fleurs dans la cour. Il y a les repas avec les parents, les confidences sur l'oreiller et les rencontres avec les divers occupants de l'immeuble. On rit beaucoup, ils semblent heureux. Christine tombe enceinte et donne naissance à un fils, Alphonse. Antoine renonce à ses expériences horticoles et décroche un emploi dans une entreprise américaine d'hydraulique. Là, il rencontre la belle Kyoko, avec laquelle il entame une liaison. Christine découvre par hasard des billets doux de Kyoko à l'intention d'Antoine. Elle réagit violemment et Antoine la quitte pour s'installer avec sa maîtresse. Mais il s'en lasse rapidement et Kyoko le quitte. Un an plus tard, Antoine et Christine sont de nouveau ensemble.

En surface, *Domicile conjugal* est un film léger et sans conséquence, une œuvre drôle, optimiste et joyeuse. Comme pour les précédents films du cycle Doinel, le réalisateur signe la majeure partie du scénario. Celui-ci est truffé d'observations sur les comportements sociaux, le langage, les modes de vie et les personnages «normaux» ou marginaux, observations provenant des notes amassées au fil des ans, ainsi que de ses collègues et amis. On y trouve des gags, des bons mots et des allusions comme la scène à la Jacques Tati, purement gratuite, dans la station de métro. Le film comporte une ribambelle de personnages secondaires époustouflants de diversité: le chanteur d'opéra et sa femme dans l'appartement d'à côté, la concierge, le patron du café, les clients, la serveuse lascive, l'homme qui ne sort pas de chez lui, le jeune homme qui vit seul, la prostituée, l'ami pique-assiette.

Un examen plus attentif apporte toutefois un éclairage différent sur ce film. Celui-ci est structuré autour de différentes approches de l'amour et du couple. Au centre se trouvent Antoine et Christine, qui passent sans cesse du rire aux altercations, connaissent les tensions quotidiennes de la cohabitation dans un logement exigu et se heurtent à la difficulté d'élever un enfant, de trouver un emploi

Scène de *La Nuit américaine* (1973)
Dans ce film, François Truffaut joue le rôle du réalisateur Ferrand qui tourne un film intitulé *Je vous présente Pamela*. Le nom de Ferrand est dérivé du nom de jeune fille de la mère de Truffaut, Monferrand. Ferrand porte un appareil acoustique à l'oreille gauche, allusion aux problèmes d'audition que Truffaut rencontre lorsqu'il sert dans l'armée française.

«L'art cinématographique ne peut exister que par une trahison bien organisée de la réalité.»

François Truffaut

et de le garder. Le film dresse un état des lieux du mariage et dépeint sa lente désintégration. C'est sans grande conviction qu'Antoine prend une maîtresse. «Je ne m'ennuie jamais», lance-t-il à Christine. Mais, à la fin du film, il l'appelle trois fois du restaurant où il dîne avec Kyoko pour se plaindre de l'ennui incommensurable qu'il éprouve en sa compagnie. Sans mesurer l'ironie de la situation, il commence à courtiser sa femme pour échapper à sa maîtresse. Toujours aussi déboussolé, Antoine déclare à Christine qu'elle est sa petite sœur, sa fille, sa mère. Celle-ci répond d'un ton poignant: «Mais tout ce que je voulais, c'était être ta femme!» Christine fait preuve d'une dignité, d'une maturité et d'un sens des responsabilités qu'Antoine ne possédera jamais. Ce film est sans doute un coup dur pour Madeleine, même si le contraste entre la personnalité impétueuse et superficielle d'Antoine/François et le tempérament patient et perspicace de Christine/Madeleine joue plutôt en sa faveur.

CI-DESSUS
Scène de *Domicile conjugal* (1970)
Antoine Doinel (Jean-Pierre Léaud) et Christine (Claude Jade) sont désormais mariés. Ce baiser fait écho au premier (voir page 46).

PAGE CI-CONTRE, EN HAUT
Scène de *Domicile conjugal* (1970)
Truffaut fait souvent référence à des événements futurs et souligne des tensions sous-jacentes par le biais d'actions ou la présence d'objets inexpliquée. Dans la scène d'ouverture, il apparaît clairement que Christine est mariée (elle insiste pour se faire appeler « Madame », et non « Mademoiselle ») et qu'elle aime le danseur russe Noureïev. Préférerait-elle un homme comme lui plutôt que le puéril Antoine? Antoine, quant à lui, a des vues sur Kyoko, jeune femme japonaise qu'il rencontre à son travail et avec laquelle il entame une liaison pour assouvir sa soif d'exotisme.

PAGE CI-CONTRE, EN BAS
Scène de *Domicile conjugal* (1970)
Christine découvre qu'Antoine l'a trompée avec Kyoko et se déguise en Japonaise pour lui faire comprendre qu'elle n'est pas dupe.

Dans l'appartement voisin, le chanteur d'opéra et sa femme offrent une autre image du mariage. Chez ce couple d'âge moyen, le temps a accentué les tensions plutôt que de les atténuer. Dans la dernière scène du film, Antoine, qui attend sa femme avec impatience, lance son manteau et son chapeau en bas des escaliers, comme son voisin l'avait fait avant lui. La vie de couple nous contraint à supporter les irritations quotidiennes qu'engendre la familiarité. Les personnages secondaires incarnent d'autres visions de l'amour. La visite d'Antoine chez une prostituée est présentée avec bienveillance. La serveuse Jeannette tente à maintes reprises de séduire notre héros désorienté. Le mystérieux jeune homme solitaire, surnommé «l'étrangleur», devient rapidement la cible des rumeurs. L'homme qui ne sort jamais de chez lui a renoncé aux relations humaines et vit par procuration devant sa fenêtre ou son téléviseur.

Au centre de ce ballet se trouve Antoine, adulte mais toujours immature, comme le souligne son nouvel emploi consistant à manœuvrer des maquettes de bateaux dans un port miniature. Toujours dépourvu de véritable but dans la vie, il passe d'un travail à l'autre au gré de ses humeurs. Le fossé entre le rêve et la réalité est toujours aussi grand. Frustré d'être un simple marchand d'œillets alors qu'il rêve de créer de nouveaux coloris, il abandonne et trouve un nouveau travail, sans cesser de croire à sa vocation d'écrivain. Ses ambitions horticoles sont une parfaite métaphore de sa personnalité. Alors qu'il tente de créer un «rouge absolu», le résultat catastrophique de ses expériences, avec ses fleurs calcinées, démontre clairement son incapacité à atteindre l'absolu: Antoine demeurera à jamais l'exemple même de l'homme «provisoire».

Par son décor, ses innombrables relations entre les personnages et l'utilisation répétée de la profondeur de champ, *Domicile conjugal* constitue l'hommage le plus flagrant de Truffaut à Jean Renoir. Le décor de la cour est une référence indubitable au *Crime de Monsieur Lange* (1935), et les destins qui s'y entrecroisent tissent une toile tout aussi complexe. Les deux films dépeignent également le charme de la vie d'un immeuble parisien, avec ses portes et ses fenêtres ouvertes, son esprit communautaire et son langage fleuri.

Le film sort le 9 septembre 1970. Comme *L'Enfant sauvage*, il connaît un succès immédiat. Le Carrosse roule à nouveau et Truffaut devrait se lancer dans un nouveau projet avec un regain d'enthousiasme et de confiance. Malheureusement, les circonstances en décident autrement. Les quatre films réalisés en à peine plus de deux ans l'ont épuisé physiquement et psychiquement. Sa rupture avec Catherine finit de l'accabler et le plonge dans une profonde dépression.

C'est notamment grâce au deuxième roman d'Henri-Pierre Roché, *Les Deux Anglaises et le Continent*, qu'il retrouvera la voie de la guérison. Comme toujours, c'est dans le travail qu'il se console de ses déceptions sentimentales. Il a entamé des

NUREYEV
An Autobiography with pictures
NUREYEV
Introduced by Alexander Bland
NUREYEV
LES FEMMES JAPONAISES
ELISABETH B. DUFOURCQ
LES FEMME
JAPONAISE
ELISABETH B. DUFOURCQ

Scène des *Deux Anglaises et le Continent* (1971)
Après être tombé amoureux de Muriel Brown, mais n'ayant su lui rester fidèle pendant une année de séparation destinée à mettre leur amour à l'épreuve, Claude Roc (Jean-Pierre Léaud) entame une liaison avec la sœur de Muriel, Anne (Kika Markham).

négociations avec Gallimard pour obtenir les droits dès 1968 et Jean Gruault a commencé à travailler sur le scénario en lisant non seulement le roman, mais aussi les volumineux carnets intimes de Roché. Le film qui en résulte s'inspire à la fois de ces deux sources et d'éléments inutilisés de *Jules et Jim*. Eva et Laura, les deux filles de Truffaut, participent à sa réalisation. Censé se dérouler au pays de Galles, le film est tourné dans la presqu'île du Cotentin. Le reste est filmé à Paris, ainsi que dans le Jura et en Ardèche (pour les scènes de train).

L'histoire commence au début du XXe siècle. Orphelin de père, Claude Roc est un fils de bonne famille élevé à Paris par sa mère. Passionné d'art et de littérature, il rencontre Anne Brown, la fille d'une amie anglaise de sa mère, qui s'adonne à la sculpture. Il passe l'été chez les Brown au pays de Galles, dans leur maison au bord de la mer. Anne pousse Claude dans les bras de sa sœur Muriel, à qui il déclare sa flamme. Extrêmement puritaine, cette dernière lui interdit d'abord tout espoir, puis change brusquement d'avis. Mme Roc, opposée à leur mariage, se rend au pays de Galles. Ils parviennent à un compromis : Claude rentrera en France et cessera tout contact avec Muriel pendant un an. Si leurs sentiments persistent, leurs familles ne s'opposeront pas à leur union. De retour à Paris, Claude a des aventures, et au bout de quelques mois, il écrit une lettre de rupture à Muriel. Bien qu'elle feigne l'indifférence, la jeune fille a le cœur brisé. Anne part alors vivre à Paris, où elle a une liaison avec Claude. Muriel arrive à son tour et lui avoue qu'elle l'aime toujours. Claude partage ses sentiments, mais lorsque Anne lui révèle leur liaison, Muriel s'enfuit. C'est au tour du jeune homme d'avoir le cœur brisé. Désespéré, il se console en écrivant un roman, *Jérôme et Julien*. Anne meurt de la

tuberculose. Muriel accepte un poste de professeur à Bruxelles. Claude la rejoint à Calais, où elle fait escale, et ils passent la nuit ensemble avant de se séparer à jamais.

Truffaut est satisfait des *Deux Anglaises et le Continent*, qu'il considère comme l'un de ses meilleurs films. Tout le monde n'est pourtant pas de cet avis, et la critique est partagée. Si *Domicile conjugal* correspond à l'idée que la plupart des gens se font d'un film de Truffaut, *Les Deux Anglaises et le continent* y est diamétralement opposé. Cette différence de sujet et de ton est d'ailleurs clairement annoncée dès la séquence d'ouverture. Alors que *Domicile conjugal* est ponctué d'images de jambes de femmes montant des marches, on voit ici un homme descendre les escaliers avec des béquilles. Et bien que l'on reconnaisse Jean-Pierre Léaud, il est clair qu'il n'incarne pas Antoine Doinel, dont les fougueuses allées et venues sont à mille lieues de cette laborieuse descente.

En réalité, ce film comporte un certain nombre de défauts. Afin d'aider Léaud à se débarrasser du personnage de Doinel, Truffaut prend un risque considérable en lui confiant un rôle d'esthète bourgeois et fortuné. Le résultat est peu convaincant. Son interprétation trop posée manque de naturel et ne parvient pas à faire oublier Doinel. D'humeur sombre et grave d'un bout à l'autre, le film est totalement dénué d'humour. Truffaut reconnaîtra lui-même que «l'histoire était tellement sentimentale, éventuellement mélodramatique, qu'il fallait l'équilibrer par des scènes très physiques», et il passe en effet du (mélo)drame le plus intense à la sensualité la plus crue. Comme il l'explique, «plutôt qu'un film sur l'amour physique, j'ai essayé de faire un film physique sur l'amour». L'exemple le plus flagrant, la scène où la caméra s'attarde sur les draps tachés de sang après la défloration de Muriel, a fait couler beaucoup d'encre. Ces

Scène des *Deux Anglaises et le Continent* (1971)
Claude est fasciné par la fougueuse et énigmatique Muriel Brown (Stacey Tendeter). Ils ne passent que de courts moments ensemble, ce qui ne fait que renforcer la tension sexuelle entre eux deux.

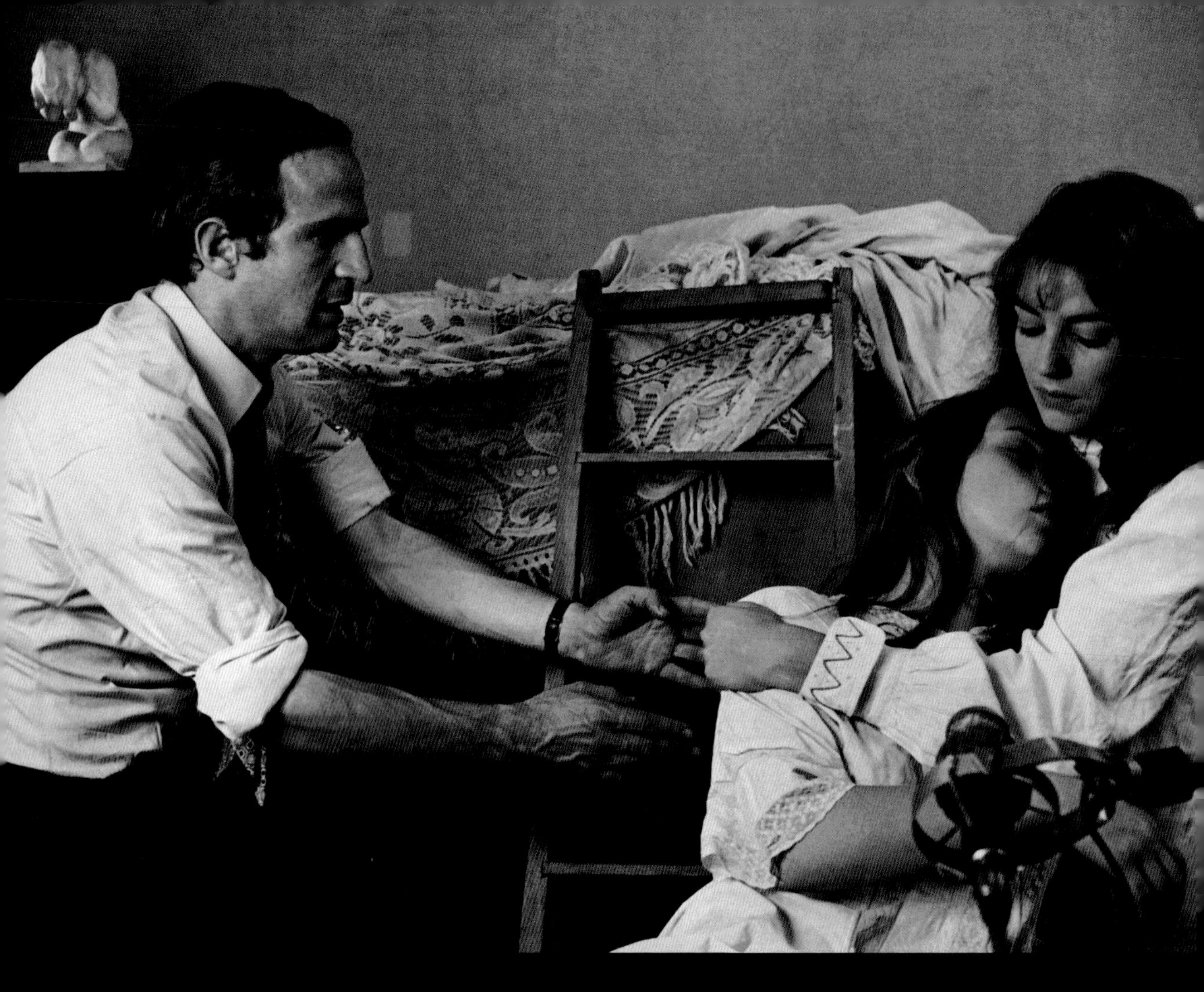

CI-DESSUS
Sur le tournage des *Deux Anglaises et le Continent* (1971)
Quand Muriel découvre que Claude et Anne ont une liaison, elle tombe en dépression. Comme chez les autres personnages, les émotions provoquent des réactions physiques. Ici, Truffaut guide délicatement Stacey Tendeter et Kika Markham pour tourner la scène.

PAGE CI-CONTRE
Sur le tournage des *Deux Anglaises et le Continent* (1971)
François Truffaut et Jean-Pierre Léaud.

brusques changements de ton perturbent le spectateur au lieu de l'éclairer. Le film est empreint d'un romantisme exacerbé qui s'explique en partie par le parallèle avec les sœurs Brontë, sur lesquelles Truffaut se documente abondamment avant le tournage. La mort d'Anne Brown s'inspire d'ailleurs de celle d'Emily, dont elle répète les dernières paroles : « J'ai de la terre plein la bouche. »

Sorti en novembre 1971, *Les Deux Anglaises et le Continent* n'a aucun succès en France, même s'il est assez bien accueilli à l'étranger. Pourtant convaincu de la qualité de ce film qu'il a pris plaisir à tourner, Truffaut commence à sortir de sa dépression, aidé en cela par une brève aventure avec Kika Markham. Mais son plus grand réconfort provient sans doute de l'admirable Madeleine et de ses deux filles, dont la compagnie est une intarissable source de gaieté et de bonheur. Il prend à peine le temps de souffler avant de se consacrer au projet suivant. Lui aussi est en gestation depuis un certain temps, puisque la lecture du roman dont il est tiré remonte à novembre 1969. Il s'agit de *Such a Gorgeous Kid Like Me* (*Une belle fille comme moi. Le Chant de la sirène*), de l'écrivain américain Henry Farrell.

L'intrigue d'*Une belle fille comme moi* est complexe et riche en rebondissements. Elle s'ouvre dans une bibliothèque, où une femme recherche un ouvrage de Stanislas

« On peut contrôler tout ce qu'on veut dans un film, il y a toujours un élément important qui vous échappe complètement. »

François Truffaut

Prévine sur les criminelles. Elle découvre que ce livre, annoncé dans un catalogue, n'a jamais été publié. À l'aide de nombreux flash-back, le film nous explique pourquoi. Prévine, chercheur en sociologie, rend visite à Camille Bliss, incarcérée pour meurtre. Dans une série d'entretiens enregistrés, celle-ci lui raconte sa vie.

Responsable de la mort de son propre père, Camille est envoyée en maison de redressement, dont elle s'échappe. Elle épouse Clovis Bliss, dont la mère cache un magot qu'elle tente en vain de dénicher. Camille, qui rêve de devenir artiste de cabaret, a une aventure avec Sam Golden, le chanteur du saloon où ils travaillent. Lorsqu'il l'apprend, Clovis perd la tête et se fait renverser par une voiture. Dans la confusion, Camille se cache dans la camionnette d'Arthur, le dératiseur, un fervent catholique qu'elle va séduire. C'est alors qu'elle se fait escroquer par Murène, un avocat véreux. Camille tente d'empoisonner Clovis et Murène avec le fumigateur d'Arthur, mais celui-ci leur sauve la vie. Afin d'expier leurs péchés, Arthur la supplie de se suicider avec lui du haut du clocher de la cathédrale. Mais elle le laisse sauter seul. Camille est jugée coupable du meurtre d'Arthur. Tombé éperdument amoureux d'elle, Prévine parvient à prouver son innocence. Alors qu'il s'apprête à réaliser son rêve – coucher avec Camille –, Clovis fait irruption et annonce que sa mère est morte, lui laissant son magot. Furieux de trouver Camille au lit avec Stanislas, il assomme ce dernier. Camille tue Clovis et place le revolver dans la main de Stanislas. Celui-ci est accusé du meurtre de Clovis et emprisonné. Grâce à la fortune de sa belle-mère, Camille devient la célèbre artiste de cabaret qu'elle a toujours rêvé d'être. Elle rend visite à Stanislas en prison, mais refuse de le tirer de là. À la télévision, il découvre qu'elle s'apprête à épouser son avocat et à construire une piscine dans la propriété des Bliss, à l'emplacement où elle a manigancé la mort de sa belle-mère.

À première vue, *Une belle fille comme moi* apparaît comme une réponse légère et enjouée à la pesanteur des *Deux Anglaises et le Continent*. Truffaut, qui souhaite rompre

Scène d'*Une belle fille comme moi* (1972)
Camille rêve de devenir artiste de cabaret et elle couche avec le chanteur Sam Golden (Guy Marchand). À la fin du film, malgré ses crimes et délits, elle devient une artiste célèbre.

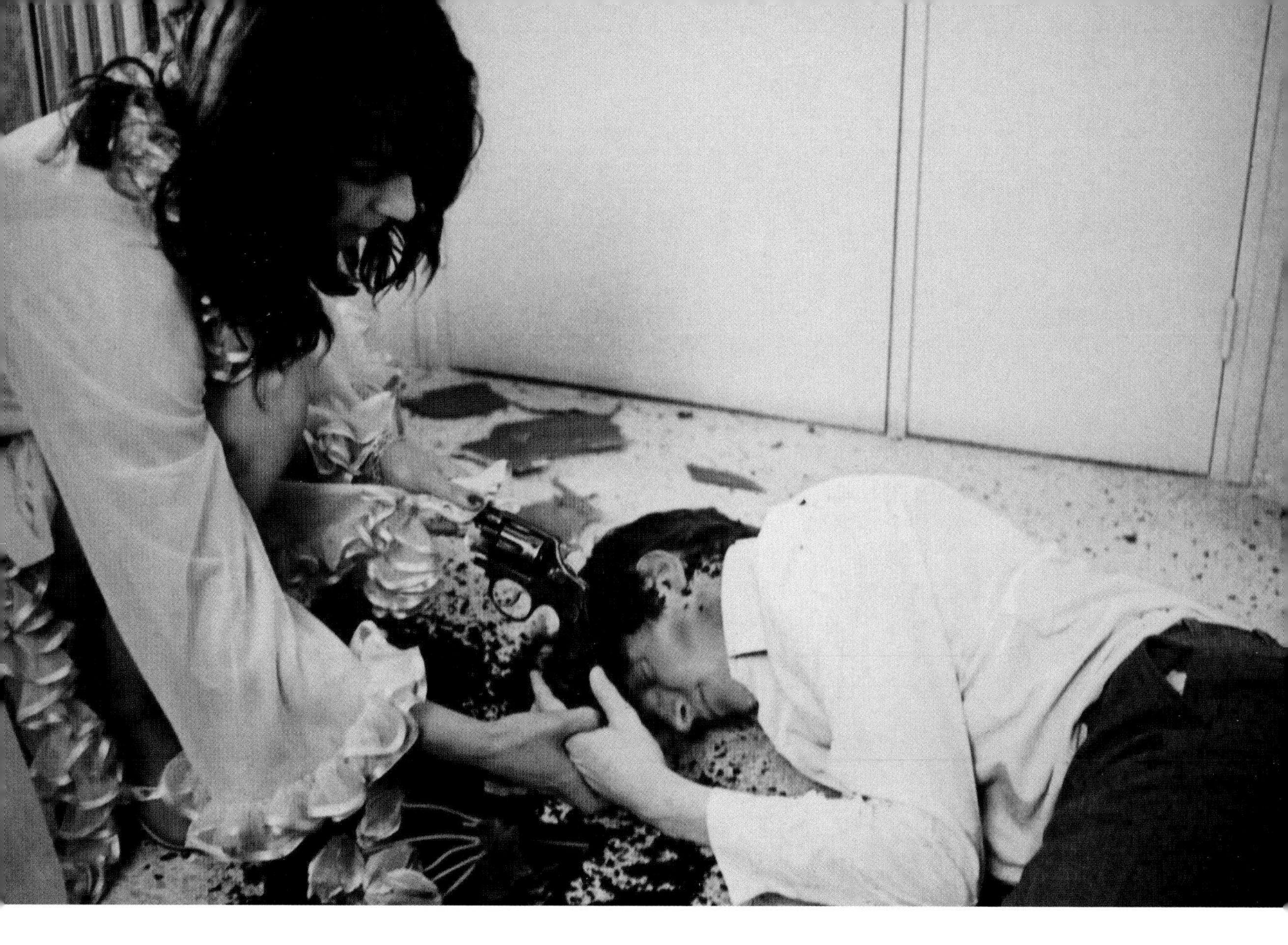

Scène d'*Une belle fille comme moi* (1972)
Camille tue Clovis et fait accuser Stanislas Prévine (André Dussollier), le sociologue qui l'a fait sortir de prison. Ce dernier est emprisonné.

avec le style littéraire et mesuré de Roché, trouve son bonheur dans le langage truculent de Camille. Il cherche par ailleurs à tordre définitivement le cou au mythe de l'amour romantique, du couple idéal nageant dans le bonheur jusqu'à la mort. Il l'a déjà entrepris dans *Les Deux Anglaises et le Continent* en opposant une sensualité crue à l'exaltation sentimentale. Il revient à l'attaque avec ce nouveau projet, qui tente cette fois de démontrer l'absurdité d'une telle exaltation. Celle-ci est illustrée par le personnage de Stanislas, dont la crédulité et les illusions romantiques atteignent des dimensions presque tragiques, mais également par Sam Golden et Murène, qui ont une vision parfaitement cynique et égoïste de l'amour. Mais la palme revient à Camille, qui utilise sans remords ses amants pour parvenir à ses fins avant de les liquider où de les faire accuser de crimes qu'elle a elle-même commis.

Une belle fille comme moi comporte plusieurs registres d'humour : allant fréquemment jusqu'à la farce, le film use du comique de situation et possède des personnages cocasses et des dialogues hilarants. Quant au rythme, il est littéralement haletant. Il ne s'agit en aucun cas d'un film réaliste. Les coups de théâtre sont improbables et les personnages dignes d'un dessin animé. Avec sa gouaille et son exubérance naturelle, Camille est plus vraie que nature, tandis que Stanislas est crédule au-delà de toute vraisemblance. L'une des premières scènes, où l'on voit la petite Camille s'envoler dans les airs et atterrir sur un tas de foin, propulsée par le pied d'un père alcoolique, nous avertit d'emblée de ce total mépris du réalisme, qui laisse à supposer que le sens du film est ailleurs.

Sur le tournage de *La Nuit américaine* (1973)
Truffaut fait répéter la scène du baiser à Jacqueline Bisset et Jean-Pierre Léaud pour la fin du film. Truffaut porte toujours le même blouson marron, généralement avec une chemise bleue. Bertrand Morane porte un blouson semblable dans *L'Homme qui aimait les femmes* (voir page 76) et Antoine porte à la fois le blouson et la chemise dans *L'Amour en fuite* (voir pages 80 et 81).

Bernadette Lafont insuffle dans ce film une énergie et une vitalité débordantes. S'inscrivant dans la lignée des personnages de femmes à poigne chers à Truffaut, Camille actionne les principaux leviers de l'intrigue. La puissance du personnage est telle que le public éprouve une franche sympathie pour cette meurtrière parfaitement dénuée de morale. En mettant en œuvre ce processus d'identification, Truffaut marche délibérément sur les traces de Hitchcock.

À la fin du tournage d'*Une belle fille comme moi*, Truffaut reconnaît que ce film «est celui de Bernadette». Néanmoins, il est certainement conscient du fait que Camille est un double féminin de Doinel, et donc de lui-même. Orphelins de père dès le plus jeune âge, placés en maison de redressement, instables, opportunistes… les points communs ne manquent pas. «Je me moque de quelqu'un [comme Stanislas] qui s'obstine à voir la vie d'une façon romantique: je donne raison à [Camille] qui est une espèce de voyou, qui a appris à se méfier de tout le monde et à lutter pour survivre.»

Malheureusement, le film ne plaît ni au public, ni à la critique, qui passent tous à côté de sa profondeur et de son humour. Truffaut attribue cet échec à son mépris des règles du genre (en l'occurrence, la comédie). Désorienté, le spectateur ne sait comment réagir. Mais c'est précisément cette subversion du genre, ainsi que l'implacable logique interne du film et sa capacité à transmettre des messages graves par le biais d'un support populaire comme la comédie, qui fait d'*Une belle fille comme moi*

Scène de *La Nuit américaine* (1973)
Voici la scène du baiser telle qu'elle a été filmée. L'actrice Julie Baker (Jacqueline Bisset) donne un baiser d'adieu à l'acteur Alphonse (Jean-Pierre Léaud). Julie a couché avec Alphonse afin de s'assurer qu'il continue à tourner le film et ne parte pas retrouver sa petite amie. *La Nuit américaine* met en avant la vie nomade et intense des acteurs et de l'équipe de tournage.

Au risque de souffrir à nouveau de surmenage, Truffaut se plonge immédiatement dans le projet suivant. Il a toujours voulu faire un film sur le cinéma «pour cette raison bien simple qu'il se passe toujours des choses ahurissantes sur les tournages, des choses drôles, curieuses ou intéressantes, mais dont le public ne profitera pas puisque ce sont des incidents de tournage en marge des prises de vue». Pendant le montage des *Deux Anglaises et le Continent* dans les studios de Nice, il remarque un vieux décor qu'il pense pouvoir rénover pour son nouveau projet. Il entame l'élaboration d'un scénario avec Jean-Louis Richard durant l'été 1971 et y revient en janvier 1972 avec l'aide supplémentaire de Suzanne Schiffman, dont ce sont les premiers pas en tant que coscénariste. Le tournage démarre le 26 septembre 1972 aux studios de la Victorine, à Nice.

La Nuit américaine (titre qui fait référence à la technique employée pour tourner des scènes de nuit en plein jour à l'aide de filtres spéciaux) raconte le tournage d'un film, *Je vous présente Paméla.* Tout d'abord, Truffaut nous montre les différentes facettes de la genèse d'un film : le scénario, la production, la réalisation, l'interprétation, les mouvements de caméra, l'éclairage, le son, la bande originale. Parallèlement, nous découvrons les coulisses du tournage : le quotidien et les destins croisés des acteurs et des techniciens. Le film dépeint également les événements susceptibles de perturber le bon déroulement du tournage et de contraindre le réalisateur à modifier le scénario et la distribution, des humeurs des uns et des autres jusqu'à la mort d'une des vedettes. Surmontant tous les obstacles personnels, pratiques et financiers, l'équipe parvient à terminer le film dans les temps et chacun repart de son côté vers de nouvelles aventures

Scène de *La Nuit américaine* (1973)
Tout au long du film, François Truffaut (qui, par ailleurs, joue le rôle du réalisateur Ferrand) mêle la réalité des personnages au caractère imaginaire du film qui est en train de se faire : le spectateur assiste au tournage d'un film dans le film.

Comme beaucoup d'œuvres de Truffaut, *La Nuit américaine* est un film consacré à l'amour. Mais cette fois, bien que les amours en tous genres soient étudiées avec la finesse d'observation dont le réalisateur est désormais coutumier, le thème central du film est l'amour du cinéma. Truffaut s'est souvent demandé si le cinéma était plus important que la vie, et ce film nous apporte un élément de réponse. Dans une conversation souvent citée entre Ferrand, le réalisateur, et Alphonse, l'acteur, le premier s'exclame avec enthousiasme : « Les films sont plus harmonieux que la vie. Il n'y a pas d'embouteillages dans les films, pas de temps mort. » Comme Julie Baker, la vedette féminine, le dit à travers ses larmes et comme de nombreux incidents du film le démontrent sans la moindre ambiguïté, « la vie est dégoûtante ». Elle est imparfaite, répétitive, contradictoire, déroutante, parfois ennuyeuse, souvent pénible et douloureuse. Le cinéma, lui, peut pallier tous ces défauts. Il peut changer le cours du temps, gommer l'ennui, donner un sens à la vie. Il peut raccommoder les couples déchirés. L'amour du cinéma est partout présent : chez les techniciens qui s'amusent à répondre aux questions d'un jeu télévisé sur le cinéma, dans le clin d'œil aux westerns (le « convoi de chariots »), dans l'allusion à *La Règle du jeu* de Renoir (1939), dans les livres de Ferrand consacrés à des réalisateurs, chez Julie qui couche avec Alphonse pour le dissuader de quitter le tournage. Cet amour du cinéma imprègne tout le film et atteint son paroxysme lorsque Joëlle déclare à propos du départ de Liliane avec le cascadeur : « Je pourrais quitter un mec pour un film, mais je ne pourrais pas quitter un film pour un mec. »

Le cinéma est extraordinairement puissant, capable de créer des mirages et de fourvoyer le spectateur. Dans la première séquence, nous croyons assister à une scène de rue parisienne, jusqu'à ce que l'illusion soit brisée par une voix criant « Coupez ! ». La caméra recule, révélant les décors, le matériel, les techniciens. Le cinéma peut même surmonter la mort. Tué dans un accident de voiture, Alexandre réapparaît quelques minutes plus tard, « vivant », lors de la projection des rushes. Julie (ou plus exactement sa doublure) plonge dans un ravin au volant de sa voiture. Grâce à la Moviola (visionneuse permettant de repasser instantanément le film), l'action (et le temps) défile à l'envers jusqu'à ce que la voiture et sa conductrice soient de nouveau intactes. Le cinéma confère l'immortalité, car sur la pellicule, les acteurs passent à la postérité. Dans l'éternel conflit qui oppose le provisoire au définitif dans l'œuvre de Truffaut,

CI-CONTRE
Scène de *La Nuit américaine* (1973)
Le film est fascinant car il révèle au grand jour un certain nombre de trucages, comme la bougie creuse contenant une ampoule pour éclairer le visage des acteurs ou la fausse fenêtre comme ci-dessus.

CI-DESSOUS
Scène de *La Nuit américaine* (1973)
Le réalisateur Ferrand fait régulièrement le même cauchemar, qui se révèle être un secret coupable : enfant, il a volé des photos de *Citizen Kane* dans un cinéma. Truffaut, lui aussi, a volé des photos dans son enfance.

La Nuit américaine énonce une idée forte : l'art, l'acte créatif – dans le cas de Truffaut, le cinéma – est un moyen d'atteindre l'absolu, le définitif. En comparaison, la vie se révèle éphémère, provisoire.

Selon Truffaut, ce n'est que pendant le montage du film qu'il s'est rendu compte à quel point « tous les conflits de *La Nuit américaine* et de [*Je vous présente*] *Paméla* concernent les problèmes d'identité et de paternité. [...] Depuis Stacey, la jeune actrice qui tient le second rôle et qui est enceinte sans que l'on sache de qui, jusqu'à l'actrice Julie Baker qui a épousé (dans la vie) un médecin qui pourrait être son père et qui s'en va (dans le film) avec son beau-père, en passant par Léaud qui tue son père, Valentina Cortese qui boit parce que son fils est leucémique... ». On peut ajouter à cette liste l'exemple d'Alexandre, qui envisage d'adopter Christian. Après tant d'années, le subconscient de Truffaut semble être encore aux prises avec les démons du passé.

Sur le tournage de *L'Histoire d'Adèle H.* (1975)

on devine que la description de ses troubles psychiques n'est pas aussi véridique

au premier baiser'». Truffaut expliquera maintes fois les raisons qui l'ont poussé à faire ce film, évoquant tour à tour sa volonté de montrer «le désir d'autonomie des enfants, avec, en filigrane, le besoin de tendresse dont ils ne sont pas conscient» et «leur grande faculté de résistance et de survie». L'une de ses motivations les plus évidentes est exposée dans le vibrant plaidoyer en faveur des droits de l'enfant prononcé à la fin du film par M. Richet, l'instituteur. Celui-ci évoque sa propre enfance malheureuse, les coups durs de la vie et la nécessité de s'endurcir. Personne ne prend la défense des enfants. Parce qu'ils n'ont pas le droit de vote, les politiciens les ignorent. S'ils sont aimés par leurs parents, ils leur rendront cet amour. Sinon, ils reporteront leur affection ailleurs, car «la vie est ainsi faite qu'on ne peut pas se passer d'aimer et d'être aimé».

«Mais tout ce qui est du domaine affectif réclame l'absolu. L'enfant veut sa mère pour la vie; les amoureux veulent s'aimer pour la vie; tout en nous appelle le définitif – alors que la vie nous enseigne le provisoire. Je me demande si ce qu'il y a de plus important au monde n'est pas ce moment où l'on bascule, où l'on considère, par exemple, que nos enfants comptent plus, pour nous, que nos parents…»

François Truffaut

Privé de mère, Patrick cherche l'amour partout où il peut le trouver. Inspiré par l'une des affiches préférées de Truffaut (une image de train de nuit) représentant une femme d'un romantisme stéréotypé, il tombe naturellement amoureux de Mme Riffle. Dans une scène empruntée aux *Quatre Cents Coups*, il la découvre en peignoir, les jambes nues, en train de se faire les ongles des pieds. Cette image contraste avec la vision romantique qu'il a eue d'elle dans un autre plan, son beau visage voilé par un léger rideau. La traditionnelle dichotomie entre la vierge et la putain, tout comme le trouble du jeune orphelin face à ces visions contradictoires, sont dépeints avec précision et sensibilité. Pour une fois, Truffaut donne également une image positive du père – et, par la même occasion, du maître d'école – en la personne bienveillante, attentionnée et cultivée de M. Richet. On retrouve néanmoins des pères absents: celui de Julien et, dans une certaine mesure, de Patrick.

Autre fait relativement surprenant: la salle de classe est l'un des trois lieux présentés sous un jour positif. L'environnement scolaire est à des années-lumière de celui des *Quatre Cents Coups*. Ici, point d'enfants récitant leurs leçons comme des perroquets, point de sarcasmes ni d'humiliation systématique des plus faibles. Les élèves de M. Richet participent, prennent la parole, savent s'exprimer et ont confiance en eux. De même, le foyer inhospitalier des Doinel cède la place à l'ambiance chaleureuse de la famille Riffle. Le troisième havre de paix apparaît, même fugitivement, dans presque tous les films de Truffaut: c'est le cinéma. Dans *L'Argent de poche*, il joue un rôle central. C'est le point de ralliement de toute une communauté, qui s'y retrouve toutes les semaines, quel que soit le programme. Le cinéma est un refuge, mais également une source d'excitation, d'enchantement, d'évasion. À cet égard comme à bien d'autres, *L'Argent de poche* est encore un film inspiré par une vision anachronique de la société. Censé dépeindre la France de 1975, il comporte beaucoup d'éléments faisant référence à celle des années 1940 et 1950.

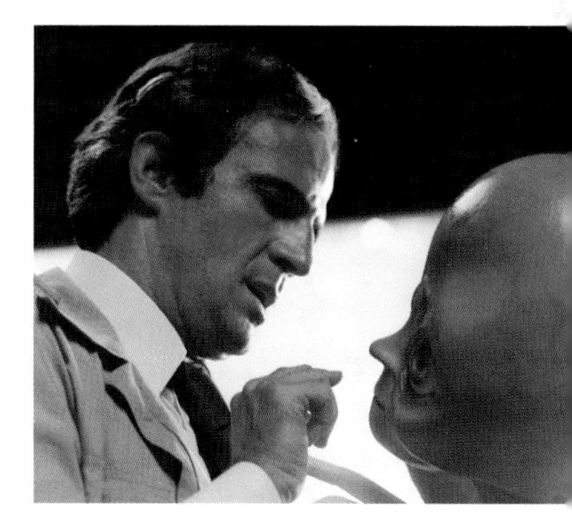

Sur le tournage de *Rencontres du troisième type* (1977)
François Truffaut joue le personnage du scientifique français Claude Lacombe qui s'intéresse aux ovnis. Ici, il rencontre un extraterrestre (en réalité, une jeune femme glissée dans un costume). Bien que se sentant isolé en Amérique, loin de sa France natale, Truffaut n'a cessé d'amuser les enfants sur le plateau de tournage. Le réalisateur Steven Spielberg a reconnu avoir choisi Truffaut parce qu'il recherchait un homme qui avait une âme d'enfant.

Sorti en mars 1976, *L'Argent de poche* connaît un succès inespéré. Mais Truffaut est une nouvelle fois épuisé et son médecin lui ordonne le repos. Il a commencé à préparer *L'Homme qui aimait les femmes*, mais le tournage ne doit pas débuter avant l'automne. Ses projets sont alors chamboulés par une proposition inattendue de Steven Spielberg, qui lui demande de jouer le rôle du professeur Claude Lacombe dans *Rencontres du troisième type*. Après quelques hésitations, il finit par accepter. De mai à septembre, il se rend aux États-Unis pour participer au tournage, principalement à Mobile, en Alabama. Il dispose d'un bureau où il peut travailler à *L'Homme qui aimait les femmes* pendant les longs intervalles entre les prises. Avec leurs centaines d'acteurs et de techniciens, les films à gros budget de Spielberg sont à mille lieues des modestes productions des Films du Carrosse, mais Truffaut s'entend bien avec le réalisateur américain. Il apprend beaucoup en l'observant. Cette expérience positive et son succès dans le rôle du professeur Lacombe vont lui permettre d'aborder le projet suivant avec un regain de confiance.

L'homme qui aimait les femmes mais redoutait la mort 1977–1984

Bien qu'il n'apporte pas tout à fait la période de repos, de lecture et de réflexion que Truffaut avait prévue, le temps qui s'écoule entre la fin de *L'Argent de poche* (début 1976) et le début du tournage de *L'Homme qui aimait les femmes* est utilisé à bon escient. Le fait de se retrouver dans le rôle «passif» de l'acteur plutôt que dans celui plus «actif» du metteur en scène lui donne une nouvelle vision des choses. Libéré des pressions habituelles, il va pouvoir travailler à son nouveau projet. Lorsqu'il revient en France en septembre 1976, le scénario est prêt et il se lance immédiatement dans le casting. Truffaut souhaite explorer plus profondément le personnage de Fergus, interprété par Charles Denner dans *La mariée était en noir.* Marchant sur les traces de Jean-Pierre Léaud, Denner devient ainsi un deuxième *alter ego* de Truffaut. Le tournage débute le 19 octobre et va durer plus de deux mois.

Le film s'ouvre sur l'enterrement de Bertrand Morane, ingénieur à l'Institut de mécanique des fluides de Montpellier. Le cortège funèbre est exclusivement composé de femmes. Son histoire nous est racontée dans un flash-back par l'éditrice Geneviève Bigey. Bertrand traque les femmes avec un acharnement obsessionnel. À la suite d'un rejet, il décide d'écrire ses mémoires et embauche une dactylo. Lorsque celle-ci refuse de continuer, choquée par le contenu du livre, il tape lui-même le reste du manuscrit et l'envoie à plusieurs éditeurs. Chez l'un d'eux, il trouve un fervent défenseur en la personne de Geneviève. Celle-ci se rend à Montpellier pour superviser le tirage du livre et devient l'une de ses maîtresses. C'est Noël. Bien qu'elle lui ait fait comprendre qu'elle était libre, Bertrand la laisse partir et, ne voulant pas rester seul, poursuit une inconnue dans la rue et se fait renverser par une voiture. Grièvement blessé, il se réveille dans son lit d'hôpital et aperçoit les jambes d'une infirmière à contre-jour à travers sa blouse. En tentant de se lever, il débranche sa perfusion et meurt.

L'Homme qui aimait les femmes est difficile à classer. Ce n'est pas la première fois que Truffaut entreprend de tourner une comédie et que le résultat final, bien que non dénué d'humour, se révèle trop sombre pour être rangé dans cette catégorie. Le ressort principal du film découle évidemment de son expérience personnelle. Des séquences en noir et blanc montrent les rapports de Bertrand avec sa mère. L'une d'elle, calquée sur une scène des *Quatre Cents Coups*, montre les sentiments conflictuels du jeune garçon à l'égard d'une mère dure et insensible qui étale sa sensualité devant lui. Éprouvant un mélange d'attirance et de répulsion, il sera toute

Scène de *La Chambre verte* (1978)
Julien Davenne (François Truffaut) cherche à pérenniser le souvenir de son épouse disparue prématurément.

«Faire un film, c'est améliorer la vie.»

François Truffaut

Scène de *L'Homme qui aimait les femmes* (1977)
Quand elles passent devant une librairie, certaines personnes ne résistent pas à l'envie d'y entrer. En ce qui concerne Bertrand Morane (Charles Denner), il ne peut s'empêcher de regarder et d'aborder les femmes. Ici, la main du mannequin semble caresser le bras de Morane. Ce dernier a non seulement besoin d'aimer, mais il a également besoin d'être aimé en retour.

sa vie en quête de l'affection et de l'identité qui lui ont été refusées dans son enfance. Comme l'explique Truffaut, «on a, avec les femmes, les relations qu'on a eues avec sa mère».

Bertrand Morane est un séducteur invétéré. Il lui faut sans cesse se prouver qu'il est capable d'attirer les femmes dans son lit. Fétichiste à outrance, il est obsédé par les jambes des femmes, le bruissement des bas nylon, l'ondulation des hanches sous les jupes flottantes. En d'autres termes, Bertrand Morane est le prototype même du macho. Son regard, qui s'intéresse à des parties du corps plutôt qu'à la personne dans son ensemble, est typique de la vision masculine qui préside à la plupart des représentations de la femme. Truffaut en est conscient et s'attend à ce que son film soit attaqué par les féministes. Celles-ci ne se feront pas prier. Compte tenu de son éducation et de la génération d'avant-guerre à laquelle il appartient, il n'y aurait rien d'étonnant à ce que Truffaut ait un vieux fond machiste. L'attitude de Bertrand envers les femmes est indéniablement sexiste. Ce sont des objets sexuels: «grandes tiges» ou «petites pommes» rangées dans des catégories en fonction de leur sex-appeal. Dès la première image, le film comporte un nombre incalculable de paires de jambes, sans compter les seins dénudés et la lingerie. Sa position est indéfendable, mais Truffaut le sait et ne se prive pas d'ironiser à ce sujet.

Bertrand n'est pas présenté comme le traditionnel coureur de jupons. Truffaut n'essaie pas de l'excuser. Il ne le présente pas sous un angle favorable. Son tempérament égoïste et reclus nous est montré sous son vrai jour. Cependant, Bertrand n'est ni arrogant, ni agressif envers les femmes. Il ne les harcèle pas comme c'est le cas dans *La Peau douce*. Au contraire, il se montre doux et prévenant, laisse volontiers Geneviève conduire et accepte sans amertume d'être rejeté par Hélène, la marchande de lingerie. Perpétuellement anxieux, il ne connaît jamais l'allégresse. Son comportement est compulsif, incontrôlable, et il est absolument incapable d'entamer une relation durable. Si la vie de couple n'apporte pas de réponse à l'énigme de l'amour, il en va de même de l'existence solitaire du séducteur invétéré.

Une autre indication de la conscience que Truffaut a de son propre machisme nous est fournie par le rêve de Bertrand. Comme certains le soulignent, ce rêve inverse les rôles traditionnels, puisqu'un mannequin à l'effigie de Bertrand, dont Hélène ajuste le fixe-chaussette, se retrouve dans la vitrine du magasin de lingerie sous les regards concupiscents d'une foule de passantes. C'est au tour de l'homme de devenir objet de convoitise, et les femmes se montrent aussi fétichistes que lui. Enfin, n'oublions pas que le récit est fait par une femme, Geneviève, qui insère l'histoire de Bertrand dans la sienne. Truffaut est peut-être macho, mais il n'est sans ignorer pas les nuances du débat. Il déclare d'ailleurs : « C'est un film féministe, à ma façon. »

Sur le tournage de *L'Homme qui aimait les femmes* (1977)
François Truffaut et Suzanne Schiffman encadrent le mannequin de Bertrand Morane qui a servi pour la séquence du cauchemar. Le mannequin est exposé dans une vitrine et il est arrangé par Hélène, la vendeuse de la boutique de lingerie. Les femmes regardent le mannequin. Celui-ci attire tous les regards féminins, mais il donne en même temps l'impression d'être un cadavre que l'on regarde pour la dernière fois.

Bien que *L'Homme qui aimait les femmes* ne soit pas terminé, Truffaut a déjà bien avancé la préparation du film suivant, *La Chambre verte*. De nombreux commentateurs ont noté son obsession de la mort. L'idée d'un film consacré aux défunts le hante depuis plusieurs années et a été renforcée par le décès de nombreux collègues et amis. Dans une interview publiée dans *L'Express* le 13 mars 1978, il remarque : « Je viens d'avoir quarante-six ans, et je commence déjà à être environné de disparus. La moitié des acteurs qui ont participé à *Tirez sur le pianiste* nous ont déjà quittés. »

La Chambre verte, d'après plusieurs nouvelles de Henry James, raconte l'histoire de Julien Davenne, un rescapé de la Grande Guerre. Dix ans plus tard, il vit dans une ville de l'est de la France, où il rédige la rubrique nécrologique d'une revue moribonde, *Le Globe*. Sa seule raison d'être est de conserver vivante la mémoire de sa femme Julie, morte en 1919 à l'âge de 22 ans. La fameuse « chambre verte » est un temple à sa gloire jalousement gardé par Davenne. Lors d'une vente aux enchères où il tente de racheter une bague ayant autrefois appartenu à Julie, il rencontre Cécilia Mandel, avec qui il se lie d'amitié. La chambre verte est la proie d'un incendie déclenché par la foudre. Convaincu d'avoir mal protégé Julie, Davenne commande une statue en cire grandeur nature de la défunte. Mais en la voyant, il la fait détruire dans un accès de rage. Il découvre par hasard une vieille chapelle endommagée pendant la guerre et obtient la permission de la retaper pour en faire un autel à ses « chers disparus ». Il demande à Cécilia d'en devenir la gardienne, mais celle-ci refuse. Ce n'est pas la première fois qu'elle déplore son attitude vis-à-vis des morts. Davenne découvre que Cécilia a été la maîtresse de Massigny, un ancien ami qui l'a trahi. Il tombe malade. Cécilia lui écrit pour lui déclarer son amour. Davenne se rend à la chapelle, où il retrouve Cécilia, et meurt dans ses bras. Elle allume un cierge pour lui, bouclant ainsi la boucle.

L'obsession de la mort occupe une place tellement prédominante, les références sont si personnelles et si détaillées que *La Chambre verte* se révèle difficile d'accès pour la plupart des spectateurs. Aussi bien à l'écran – lorsque Davenne discute avec

prêtre – que dans les interviews, Truffaut ne cesse d'expliquer que *La Chambre verte* n'est pas un film sur le culte des morts et n'a rien de religieux au sens doctrinaire du terme. « Dans *La Nuit américaine*, explique-t-il, il y avait une exaltation du travail des cinéastes. Ici il y a l'exaltation des gens qui ont compté. C'est un peu comme une déclaration d'amour. Ce n'est ni déprimant, ni morbide, ni triste. C'est l'idée que la force du souvenir, de la fidélité et des idées fixes est plus forte que l'actualité. […] Ne pas se détacher des choses et des gens dont on ne parle plus : continuer à vivre avec, si on les aime. Je refuse d'oublier. »

La plupart de ceux qui ont vu le film auront pourtant du mal à se laisser convaincre qu'il n'a rien de morbide ni de triste. L'amour aveugle et larmoyant de Davenne pour sa défunte épouse et la scène pathétique de sa propre mort peuvent difficilement avoir un autre effet sur le public. Comme Bertrand avant lui, Julien est en quête d'absolu, cherchant une certaine permanence dans la vie plutôt que dans la mort. Tout comme lui, Truffaut tente de garder vivante la mémoire de ses chers disparus en préservant leur souvenir par tous les moyens possibles. Le personnage de Julien est néanmoins présenté avec une ironie certaine et est loin d'être dénué de faiblesses. Sa volonté de garder Julie vivante ressemble plus à un désir de possession qu'à un véritable amour. Insensible aux vivants, il reste sourd à ses propres sentiments comme à ceux de ses proches. Ce repli sur soi le prive de la possibilité d'un nouvel amour avec Cécilia. Tout au long du film, celle-ci dégage une énergie vitale qui contraste violemment avec la passivité morbide de son ami. Elle ressort grandie à nos yeux, alors que nous ne pouvons que condamner son attitude à lui. Truffaut nous empêche d'ailleurs d'éprouver une réelle sympathie à l'égard de Julien en lui faisant commettre un crime impardonnable : frapper Georges, l'enfant muet.

Une fois encore, la quête de l'absolu se révèle vaine et néfaste. Aussi douloureux que cela puisse paraître, nous devons accepter le caractère éphémère de la vie. Car Truffaut, qui aurait tant voulu garder vivants ses êtres chers, ne parvient pas mieux à donner un caractère définitif à la vie qu'à ses relations amoureuses. La seule forme de permanence à laquelle l'homme peut prétendre est l'art et avant tout le cinéma, puisque celui-ci préserve (peut-être à jamais, depuis l'invention du DVD) la présence visuelle et l'aura des interprètes. Une telle permanence est toutefois illusoire, c'est une bonne « ruse », comme dirait Truffaut. Force est d'accepter cette cruelle vérité : l'absolu, le définitif, le permanent sont hors de portée de l'homme. « Tout ce qui est du domaine affectif réclame l'absolu. L'enfant veut sa mère pour la vie ; les amoureux veulent s'aimer pour la vie ; tout en nous appelle le définitif – alors que la vie nous enseigne le provisoire. »

Lors des projections privées qu'il organise pour ses amis, le résultat semble être à la hauteur de ses ambitions. Les réactions sont presque unanimement favorables. À la sortie du film le 5 avril 1978, la critique partage cet enthousiasme. Ce n'est malheureusement pas le cas du public. *La Chambre verte* est un fiasco commercial qui, pour une fois, ne se limite pas à la France. Cet échec affecte profondément Truffaut, pour qui il importe tant de faire des films proches du public. Tout s'était pourtant déroulé comme il l'avait imaginé. À cela s'ajoutent des problèmes de santé qui conduisent de nouveau son médecin à lui ordonner le repos. Cela ne l'empêche pas de se mettre à la recherche d'un nouveau scénario. Il a comme toujours plusieurs projets en vue, mais aucun d'eux ne le satisfait. Après les mauvais résultats de *La Chambre verte* au box-office, les caisses des Films du Carrosse sont une nouvelle fois vides. Pour les remplir, rien ne vaut un nouvel épisode de la saga Doinel.

« Moi, je suis nostalgique, totalement tourné vers le passé. Je travaille sur mon passé ou celui des autres. »

François Truffaut

CI-DESSUS
Scène de *La Chambre verte* (1978)
L'autel que Julien Davenne a dressé à sa défunte épouse Julie est ravagé par les flammes.

PAGE CI-CONTRE
Scène de *La Chambre verte* (1978)
Julien Davenne se refuse à oublier les morts, mais ce faisant, il est aveugle à l'amour que lui porte Cécilia Mandel (Nathalie Baye). Quand Julien meurt, Cécilia allume un cierge à sa mémoire, poursuivant ainsi le cycle.

Scène de *L'Amour en fuite* (1979)
Antoine rencontre son nouvel amour, Sabine (Dorothée, en photo), grâce aux compétences de détective qu'il a acquises dans *Baisers volés*. Après qu'un homme a rompu avec sa petite amie au téléphone et déchiré sa photo, Antoine recolle les morceaux pour reconstituer l'image, tombe amoureux de la jeune fille, puis la séduit sans lui parler de la photo.

Mais Truffaut hésite. Il n'avait pas l'intention de poursuivre la série au-delà de *Domicile conjugal.* Le personnage, une fois adulte, peut-il conserver son charme ? Avec un petit budget entièrement fourni (c'est une première) par les Films du Carrosse, Truffaut décide de tenter l'aventure. Le tournage débute fin mai 1978 et ne dure que 28 jours. Le montage, en revanche, s'étalera sur quatre mois.

Antoine, désormais correcteur dans une imprimerie, a passé la nuit avec sa nouvelle compagne, Sabine. Il se rend au tribunal, où son divorce va être prononcé. En sortant, il est reconnu de loin par Colette, qui est devenue avocate. Ayant promis à Sabine d'aller à une soirée avec elle, il l'appelle pour lui dire qu'il doit emmener son fils Alphonse à la gare. Là, il aperçoit Colette qui s'apprête à monter dans un autre train avec à la main un exemplaire de son autobiographie, *Les Salades de l'amour.* Il saute dans le train. Colette est d'abord ravie de le voir. Il lui raconte l'intrigue de son prochain roman : un jeune homme trouve la photo déchirée d'une jeune fille ; il la recolle soigneusement et tombe amoureux d'elle. Au prix d'efforts acharnés, il parvient à retrouver sa trace. Ils entament une liaison, mais finissent par se séparer. Dans sa couchette, Antoine fait des avances à Colette, qui prétend alors être une poule de luxe. Il tire la sonnette d'alarme et s'enfuit. Pendant ce temps, Sabine a décidé de le quitter, car il n'est pas prêt à s'engager. Lorsqu'il finit par la rattraper, elle lui jette ses lettres à la figure. Antoine tombe par hasard sur M. Lucien, l'ancien amant de sa mère. Ils déjeunent ensemble et se rendent au cimetière où Mme Doinel est enterrée. Colette rencontre Christine ; elles plaisantent sur leur appartenance au club des « ex » d'Antoine Doinel, comparent leurs souvenirs et évoquent l'infidélité d'Antoine avec Liliane. Antoine persuade enfin Sabine de l'écouter. Il lui raconte comment il l'a réellement rencontrée : ayant trouvé sa photo déchirée, il est tombé amoureux d'elle et a retrouvé sa trace. Elle se laisse reconquérir et ils décident de vivre ensemble en faisant « comme si » c'était pour la vie.

Truffaut se montre aussi réticent et hésitant vis-à-vis de *L'Amour en fuite* qu'Antoine dans ses relations avec Sabine. Si ce film ne plaît pas à Truffaut, il séduit en revanche le public, fournissant à son auteur le succès auquel il aspirait et renflouant les caisses des Films du Carrosse. Ce que Truffaut considère comme un film commercial réalisé à l'économie apporte toutefois un nouvel éclairage sur des thèmes récurrents. Qu'il soit ou non à l'écran, Antoine est inévitablement au cœur du film. Comme le dit Truffaut, « il est une sorte de marginal sans même être conscient de l'être. [...] Il ne peut pas commander à des gens, il ne peut pas faire de sport. [...] Il n'y a chez lui que des restrictions, très peu de choses positives. [...] Il est le contraire d'un personnage exceptionnel, le contraire d'un héros, mais ce qui le distingue des personnes moyennes, c'est qu'il ne s'installe jamais dans les états moyens. Il est, ou bien profondément déçu ou désespéré [...] ou bien il est dans un état total d'exaltation et d'enthousiasme ». Les responsabilités parentales, le traumatisme du divorce, la dure réalité du monde du travail ne semblent avoir eu aucun impact sur lui. Il n'a rien appris et continue de courir en tous sens sans véritable but ni résultat. Et pourtant, ce sont ces défauts qui le protègent du monde extérieur et constituent son charme. Jean-Pierre Léaud est plus convaincant que jamais dans la peau de ce personnage sans doute devenu plus proche de lui que de son créateur.

L'un des épisodes les plus révélateurs du film est la rencontre avec M. Lucien, qui nous fait découvrir une autre facette de la mère d'Antoine. Aussi saugrenue que puisse paraître l'image que M. Lucien a d'elle – celle d'un « petit oiseau » et d'une « anarchiste » –, il s'avère qu'elle aimait son fils. Cette séquence est certainement autobiographique, puisque à la mort de sa mère, Truffaut a été profondément ému de

« Tristesse sans fin des films sans femme ! Je déteste les films de guerre, sauf le moment où le soldat tire de sa poche une photo de femme pour la regarder. »

François Truffaut

découvrir dans ses papiers des preuves de son amour pour lui. La scène s'achève par un long plan montrant son visage en surimpression sur sa tombe, sur une musique lyrique de Delerue, hommage posthume à sa mère qui ne peut nous laisser indifférent.

Truffaut est si mécontent de *L'Amour en fuite* qu'il le qualifie d'« escroquerie ». Le passage à vide qui suit désormais l'achèvement de chaque film est exacerbé par différents projets qui s'offrent à lui, tous avorteront pour une raison ou pour une autre. Fin avril 1979, il se décide enfin à regrouper deux de ses dossiers, l'un concernant un film sur le théâtre, l'autre un film sur l'Occupation. Suzanne Schiffman l'aide à fusionner les deux projets. Ils se documentent énormément, lisant les mémoires de comédiens et de metteurs en scène de l'époque, des journaux et des livres d'histoire, auxquels viennent s'ajouter leurs propres souvenirs et ceux de leurs collègues et amis. Le scénario est peaufiné par Jean-Claude Grumberg, dramaturge et scénariste qui y apporte une contribution importante, en particulier pour le rôle de Lucas Steiner. Il permit à Truffaut de voir son souhait exaucé : réunir à l'écran Gérard Depardieu et Catherine Deneuve.

Le Dernier Métro commence peu avant l'occupation de la « zone libre » par les Allemands en 1942 et s'achève à la Libération. Bernard Granger arrive au Théâtre Montmartre afin d'auditionner pour un rôle dans une pièce norvégienne traduite en français, *La Disparue*. L'actrice Marion Steiner dirige le théâtre à la place de son mari, le metteur en scène juif Lucas Steiner, dont on prétend qu'il s'est enfui en Amérique du Sud. Un à un, nous rencontrons les employés du théâtre : Nadine Marsac, la jeune actrice ambitieuse, Jean-Loup Cottins, l'acteur et metteur en scène qui remplace Lucas, Arlette la costumière, Raymond le régisseur. Puis apparaît Daxiat, critique de théâtre au journal collaborationniste *Je suis partout*. Les répétitions commencent. Nous découvrons que Lucas Steiner est en réalité caché dans la cave du théâtre, où Marion, qui est la seule à le savoir, lui rend régulièrement visite. Lors de la première, la pièce est un succès. Bernard, qui est en contact avec l'un de ses amis, Christian, engagé dans la Résistance, annonce à Marion qu'il quitte le théâtre pour le rejoindre. Déçue qu'il fasse passer le théâtre au second plan et secrètement amoureuse de lui, Marion le gifle. Ils s'étreignent toutefois avant de se quitter. Lorsque les Alliés entrent dans Paris, Lucas sort de sa cave et Daxiat s'enfuit. Dans la séquence finale, Marion rend visite à Bernard, blessé et découragé, à l'hôpital. Il s'avère que c'est la dernière scène d'une pièce de théâtre. Lucas Steiner vient saluer le public. Debout entre les deux hommes, Marion les tient tous les deux par la main.

En France comme à l'étranger, *Le Dernier Métro* est le plus grand succès de Truffaut en termes de recettes au box-office. Il totalise un million d'entrées rien qu'à Paris. Ce qui n'empêche pas certains de critiquer le ton optimiste, naïf, charmant et nostalgique avec lequel il dépeint l'une des périodes les plus noires de l'histoire de France. On lui reproche également de mettre principalement l'accent sur les relations amoureuses, aux dépens d'une description réaliste de la France occupée. Interrogé sur ce point, Truffaut nous renvoie à ses thèmes de prédilection. Tout en reconnaissant que le film aurait pu être plus critique, il estime qu'il décrit tout de même la « cruauté quotidienne ». Fidèle à lui-même, il défend la majorité silencieuse qui n'a ni rejoint la Résistance, ni collaboré. « Mon film est indulgent pour les gens qui n'ont pas pris parti, pour ceux qui ont continué leur métier comme si de rien n'était. [...] Je ne juge pas la France, je crois qu'elle a tout simplement attendu. » Contrairement à ses personnages habituels, qui poursuivent inexorablement une idée obsessionnelle, la plupart de ceux du *Dernier Métro* sont contraints de faire des compromis. Le cinéaste formule à nouveau, d'une autre manière et dans un contexte différent, l'éternelle question du définitif

Scène de *L'Amour en fuite* (1979)
À la fin du film, Antoine révèle à Sabine comment il a su qu'elle existait. Il ne lui en a jamais parlé auparavant, affirmant qu'il a toujours caché ses sentiments, sans jamais dire les choses directement. Ils tombent d'accord pour rester ensemble, sans savoir si leur amour durera, mais en décidant d'y croire.

Scène du *Dernier Métro* (1980)
Dans le Paris occupé de la Seconde Guerre mondiale, la grande actrice Marion Steiner (Catherine Deneuve) doit tenir les rênes du théâtre de son mari qui a disparu. En réalité, Lucas Steiner (Heinz Bennent) se cache dans les sous-sols du théâtre, mais continue à assister aux représentations et à diriger ses acteurs en transmettant des notes à sa femme. Dans cette scène, tous deux lisent *Les Décombres* de Lucien Rebatet.

et du provisoire. Dans ce film, ceux qui prennent parti, que ce soit en rejoignant la Résistance (Christian, puis Bernard) ou en collaborant (Daxiat), représentent le «définitif». Marion et la plupart de ceux qui travaillent avec elle font quotidiennement des compromis afin de survivre et de préserver la suprématie de ce en quoi ils croient : le théâtre.

Au cœur du film se trouve le triangle Marion-Lucas-Bernard. Après avoir réprimé ses sentiments pendant la majeure partie de l'histoire, Marion laisse éclater sa passion pour Bernard dans les séquences finales. Pourtant, elle a farouchement démenti les accusations de Bernard, qui la soupçonne de ne plus aimer son mari. Après un moment de doute, la séquence finale nous montre que, dans ce cas précis, la solution réside dans le «ménage à trois». Avec cette conclusion, Truffaut affirme clairement qu'il n'y a pas de solution universelle au mystère de l'amour. L'un des aspects positifs du *Dernier Métro* est la présence de deux personnages homosexuels, Jean-Loup et Arlette, tous

Scène du *Dernier Métro* (1980)
Bernard Granger (Gérard Depardieu) est engagé pour donner la réplique à Marion Steiner dans *La Disparue.* Il tombe amoureux de Marion, mais celle-ci reste insensible à ses avances dans la vie réelle. Sur scène, en revanche, elle manifeste clairement son amour. Ne fait-elle que jouer dans la vraie vie ?

deux présentés sous un jour sympathique. Ou plus exactement, présentés de la même manière que leurs collègues, sans distinctions concernant leurs préférences sexuelles.

Malgré l'absence des atrocités de la déportation, de la dénonciation et de la torture, *Le Dernier Métro* brosse un tableau authentique du Paris de l'Occupation : les images du métro (empruntées à *La Première Nuit*, film de Franju de 1958), l'omniprésence des Allemands et de leurs uniformes, les activités clandestines de la Résistance, le tabac cultivé sur un minuscule bout de terrain, la mère qui lave la tête de son fils parce qu'un Allemand lui a ébouriffé les cheveux, les ruses des femmes pour masquer l'absence de bas, les chansons, les journaux, le langage de l'époque. Le fameux penchant de Truffaut pour la « ruse » et l'ingéniosité remonte probablement à son enfance et à la nécessité de se débrouiller, en particulier pendant la guerre et l'immédiat après-guerre. L'extraordinaire inventivité des personnages reflète ici le goût de Truffaut pour le « système D », la capacité à contourner les problèmes. Une pénurie de tabac ? On le fait

Scène de *La Femme d'à côté* (1981)
Mathilde Bauchard (Fanny Ardant) est la femme
fatale qui va ruiner la vie de Bernard Coudray

pousser soi-même. Contraint à porter l'étoile jaune ? On la camoufle sous son écharpe. Des coupures d'électricité ? On bricole deux phares qu'on fait marcher avec des vélos. Cette profusion de détails est le fruit des recherches minutieuses entreprises par Truffaut et Suzanne Schiffman. L'accent mis sur les petits riens de la vie quotidienne, tout comme l'humour qui s'en dégage, contribueront à donner de ce film l'image d'un récit nostalgique et partial de cette période.

Lorsque démarre le tournage du *Dernier Métro*, Truffaut prépare déjà le projet suivant. Comme pour *L'Histoire d'Adèle H.*, celui-ci est, du moins en partie, motivé par un coup de foudre. Alors que le premier concernait Isabelle Adjani, qu'il avait vue au théâtre, celui-ci a pour objet Fanny Ardant, qu'il a découverte à la télévision. Les thèmes principaux de *La Femme d'à côté* remontent pourtant à sa liaison avec Catherine Deneuve : en 1972, il a écrit un bref scénario inspiré de leur histoire. En 1980, il entreprend avec Jean Aurel d'élaborer un nouveau scénario, auquel Suzanne Schiffman contribuera largement par la suite. La version finale est rapidement mise sur pied début 1981. Le tournage se déroule au printemps dans les environs de Grenoble.

Bernard et Arlette Coudray vivent dans un petit village avec leur fils Thomas. Philippe et Mathilde Bauchard, un couple de jeunes mariés, emménagent dans la maison d'en face. Huit ans auparavant, Bernard et Mathilde ont eu une liaison tumultueuse. Ils redeviennent amants. Mais Bernard devient jaloux et se jette sur Mathilde lors d'une fête chez les Bauchard. Mathilde fait une dépression nerveuse et les Bauchard déménagent. Peu de temps après, Bernard se réveille au milieu de la nuit et, intrigué par une porte qui bat dans la maison vide des Bauchard, il y découvre Mathilde. Tandis qu'ils font l'amour, Mathilde tue Bernard d'un coup de revolver avant de retourner l'arme contre elle.

Comme *L'Histoire d'Adèle H.*, *La Femme d'à côté* est un film sur l'amour fou, la passion obsessionnelle et destructrice. Mais il s'agit cette fois d'un amour réciproque. Huit ans auparavant, c'est Bernard qui a mis un terme à leur liaison passionnelle et orageuse, plongeant Mathilde dans la dépression. Après un premier mariage de courte durée, elle a épousé Philippe, homme doux et attentionné. De son côté, Bernard mène une vie calme et paisible aux côtés d'Arlette. Sans en être totalement conscients, tous deux ont opté pour un compromis, compromis qui se révélera « provisoire ». Le réveil de leurs sentiments réciproques fait voler en éclats la surface lisse de leur existence et les confronte au caractère « absolu » de leur passion. Comme certains l'ont noté, il existe un violent contraste entre le calme apparent de l'environnement bourgeois dans lequel ils vivent et travaillent et la violence aveugle de leur amour. Les premières séquences nous présentent un univers familier : l'éducation d'un enfant en bas âge, le trajet quotidien pour se rendre au travail, les dîners entre amis, les parties de tennis. Mais, très rapidement, ce confort bourgeois bascule dans un cauchemar qui prend par moments un aspect surréaliste, reflété par une utilisation totalement artificielle des couleurs. Le bleu prédomine tout au long du film, et plus particulièrement dans la séquence finale, tournée dans un bleu à la fois sombre et intense.

Dans *La Femme d'à côté*, Truffaut donne de la cohabitation une image particulièrement amère, sans doute alimentée par le souvenir de sa dépression après la rupture avec Catherine Deneuve. Dans ce film, tout ou presque tend à prouver que la vie de couple est vouée à l'échec. Qu'il traite les relations sexuelles avec légèreté ou qu'il soit consumé par elles, le couple n'a aucune chance de survie. D'ailleurs, la conclusion logique de *La Femme d'à côté* est que la seule façon de survivre est de ne pas prendre le sexe trop au sérieux. Sinon, celui-ci ne peut conduire qu'à la tragédie

« J'ai tout de suite reconnu et apprécié en Fanny Ardant les qualités que j'attends le plus souvent des protagonistes de mes films : vitalité, vaillance, enthousiasme, humour, intensité mais aussi, sur l'autre plateau de la balance : le goût du secret, un côté farouche, un soupçon de sauvagerie et, par-dessus tout, quelque chose de vibrant. »

François Truffaut

Scène de *La Femme d'à côté* (1981)
Au début du film, Bernard Coudray (Gérard Depardieu) mène une parfaite vie de famille avec son épouse Arlette (Michèle Baumgartner).

Scène de *La Femme d'à côté* (1981)
Quand Mathilde emménage dans la maison voisine de celle où demeure Bernard, les deux personnages ne savent pas quoi se dire. Ils ont eu une liaison malheureuse des années auparavant, mais le feu de la passion brûle encore. Ils se téléphonent secrètement pour se donner rendez-vous. Le cadre au-dessus du téléphone laisse présager les scènes de violence à venir.

et, dans le cas de Mathilde et Bernard, à la mort. Qu'ils soient secondaires ou centraux, tous les personnages confirment cette impression. L'histoire de Mathilde et Bernard est racontée par Odile Jouve, la gérante du club de tennis, dont on apprend à la fin que son handicap est le résultat d'une tentative de suicide liée à un chagrin d'amour. Et lorsque son ancien amant revient la voir (faisant écho aux retrouvailles de Mathilde et Bernard), elle s'enfuit à Paris pour l'éviter, convaincue qu'une nouvelle liaison n'apportera que des souffrances, voire pire.

Comme on pouvait s'y attendre, Truffaut tombe une nouvelle fois amoureux de l'actrice principale durant le tournage. Dans une interview parue dans *Le Figaro Madame* le 26 septembre 1981, Fanny Ardant déclare : « J'adore les grandes familles, mais pour moi l'amour doit rester clandestin, sans bague au doigt. J'aime aussi les grandes maisons, mais pas les couples. [...] Il ne faut pas vivre ensemble. C'est tellement merveilleux de se donner rendez-vous ou d'être chez l'autre comme en visite. » Cette convergence d'opinions entre elle et Truffaut constitue une base solide pour leur relation. De près de vingt ans sa cadette, la jeune actrice a déjà une fille de six ans.

Au grand soulagement de Truffaut, *La Femme d'à côté* s'annonce comme un succès à sa sortie en août 1981. Ce n'est donc qu'au début de l'année suivante qu'il entame le projet suivant. Truffaut explique clairement ses sources d'inspiration pour ce qui

Scène de *La Femme d'à côté* (1981)
La violence éclate. Dans un accès de jalousie aiguë, Bernard frappe Mathilde au cours d'une fête.

sera sa dernière œuvre : « Je retrouve les thèmes du thriller conjugal, un thriller sans gangsters, où les policiers n'apparaissent qu'au second plan et dont l'intrigue est conduite, de bout en bout, par l'imagination d'une femme. » Naturellement, la femme à laquelle il pense est Fanny Ardant. « L'idée m'est venue pendant une séance de rushes de *La Femme d'à côté*. On projetait une scène nocturne où Fanny Ardant faisait le tour de la maison en imperméable. Quelqu'un a fait remarquer : 'C'est une ambiance Série noire'. Effectivement, Fanny Ardant avait l'air d'être une héroïne de Série noire. »

Vivement dimanche ! a beaucoup de points communs avec *Tirez sur le pianiste*. Tous deux sont des adaptations de romans américains, des parodies de film de genre tournées en noir et blanc avec des airs de comédie. Pour le scénario, tiré de *The Long Saturday Night* (*Vivement dimanche !*) de Charles Williams, Truffaut fait de nouveau appel à Suzanne Schiffman et à Jean Aurel. S'ils restent assez fidèles au début et à la fin du roman, ils modifient radicalement le reste de sa structure. Truffaut tient à ce que le point de mire de l'action soit le personnage féminin (et non le héros masculin). L'évolution progressive du réalisateur vers le tournage en studio est ici confirmée par l'utilisation d'une grande clinique désaffectée des environs de Hyères, où il fait construire de nombreux décors et tourne la majeure partie du film.

Le film s'ouvre sur un meurtre, celui de Massoulier, tué à la chasse d'un coup de carabine. L'agent immobilier Julien Vercel était également à la chasse ce matin-là.

comportement étrange de son épouse, Marie-Christine. Lorsque celle-ci revient de voyage, ils ont une dispute. Convoqué au commissariat dans le cadre de l'enquête sur le meurtre de Massoulier, Julien revient quelques heures plus tard et retrouve sa femme assassinée. Se rendant compte qu'il est compromis, il se réfugie dans son agence. Bien qu'il l'ait congédiée l'après-midi même, Barbara Becker, sa secrétaire, accepte de l'aider. Pendant une bonne partie du film, Julien reste caché à l'agence et c'est Barbara qui mène l'enquête. Elle découvre peu à peu un réseau de clubs de nuit et de prostitution et, malgré diverses fausses pistes et un nouveau meurtre, parvient enfin à identifier l'assassin. Avec le commissaire, elle monte un stratagème pour le contraindre à se trahir. Mais avant que la police ait pu l'arrêter, il se donne la mort en déclarant que tous ses crimes ont été commis pour les femmes, car celles-ci sont «magiques». Rapprochés par leurs aventures, Julien et Barbara se marient.

Scène de *Vivement dimanche !* (1983)
Marie-Christine Vercel (Caroline Sihol) essaie de reconquérir son mari Julien (Jean-Louis Trintignant) après lui avoir avoué qu'elle a commis un adultère.

Vivement dimanche! fonctionne à plusieurs niveaux. C'est un authentique film policier, puisque le suspense concernant l'identité du meurtrier est maintenu jusqu'à l'avant-dernière séquence. C'est également un thriller, même s'il ne respecte pas les conventions du genre. Parallèlement, c'est une comédie romantique hollywoodienne. Enfin, ce film reflète les préoccupations plus graves du réalisateur, préoccupations désormais familières même si elles apparaissent ici sous un angle nouveau. Comme dans *Tirez sur le pianiste*, Truffaut respecte fidèlement l'iconographie du film noir. Une grande partie de l'histoire se déroule de nuit et sous la pluie. L'héroïne porte l'incontournable trench-coat. Tout y est: les night-clubs, les prostituées et une splendide «femme fatale» en la personne de Marie-Christine, mais également des revolvers, des cadavres et un mur coulissant dévoilant un précieux indice, sans oublier de nombreuses fausses pistes destinées à maintenir le public en haleine. Truffaut va jusqu'à tourner le film en noir et blanc, choix courageux en 1982 où la couleur est presque devenue obligatoire. Il n'en demeure pas moins évident que Truffaut s'attache en réalité à subvertir les conventions. Comme dans *Tirez sur le pianiste*, il ne se limite pas à un seul genre et emprunte des éléments à la comédie romantique. Au centre du film se trouve la relation tempétueuse entre les deux héros. Dans la meilleure tradition hollywoodienne, ceux-ci commencent par se chamailler et se quereller, voire en venir aux mains, avant de tomber dans les bras l'un de l'autre à la fin.

Mais la subversion se situe également à d'autres niveaux. Comme Truffaut le souligne, c'est un film sans gangsters ni détectives, où l'enquête est menée par une personne normale. Qui plus est, cette personne, la secrétaire, est une femme. L'intrigue généralement bien ficelée du thriller est émaillée de scènes purement «gratuites», comme les répétitions de la pièce de théâtre dans laquelle Barbara tient également le premier rôle. De même, l'intrigue est perturbée au milieu de scènes cruciales par des incidents comme l'irruption de l'Albanais réclamant l'asile politique. Enfin, au cas où nous nous serions laissé prendre au jeu du thriller, Truffaut dénoue le fil de l'intrigue avec les dernières paroles de Maître Clément: «Tout ce que j'ai fait, c'était pour les femmes. Parce que j'aime les regarder, les toucher, les respirer, jouir d'elles et les faire jouir. Les femmes sont magiques, alors je suis devenu magicien.» La boucle est bouclée. Ce qui se présentait comme un film policier est en réalité l'étude de l'une des obsessions de Truffaut dans sa quête de l'absolu. Un homme dont la vie est entièrement fondée sur le postulat erroné et illusoire qui veut que les femmes soient magiques.

Vivement dimanche! sort le 10 août 1983. Truffaut consacre beaucoup de temps à la promotion du film tout en partageant le temps qui lui reste entre le synopsis de *La Petite Voleuse* (qui sera tourné par Claude Miller en 1988), la mise à jour de son

Scène de *Vivement dimanche !* (1983)
Julien Vercel a renvoyé sa secrétaire Barbara Becker (Fanny Ardant), mais cette dernière vole au secours de Julien lorsqu'il est soupçonné du meurtre de son épouse et de son amant. Cependant, Barbara et Julien se disputent toujours comme un couple marié. S'estimant dans une situation injuste, Barbara se demande pourquoi un patron aurait le droit de la licencier et pourquoi elle ne pourrait pas en faire autant.

ouvrage de référence consacré à Hitchcock et les entretiens avec Gérard Depardieu en vue de divers projets. Un soir d'août, après un après-midi de travail avec Claude de Givray dans la maison qu'il loue en Normandie, Truffaut a l'impression «qu'un pétard a explosé dans sa tête». Les médecins diagnostiquent une tumeur au cerveau. Admis à l'hôpital, l'opération se déroule bien. À la fin du mois de septembre, Fanny Ardant donne naissance à Joséphine, la troisième fille de Truffaut. L'année suivante, il continue à travailler à des projets de scénarios et entame son autobiographie. Mais, fin septembre, son état se détériore et il est conduit à l'hôpital où il s'éteint le 21 octobre 1984. Ses obsèques, trois jours plus tard, présentent un point commun avec celles de Bertrand Morane.

Chronologie

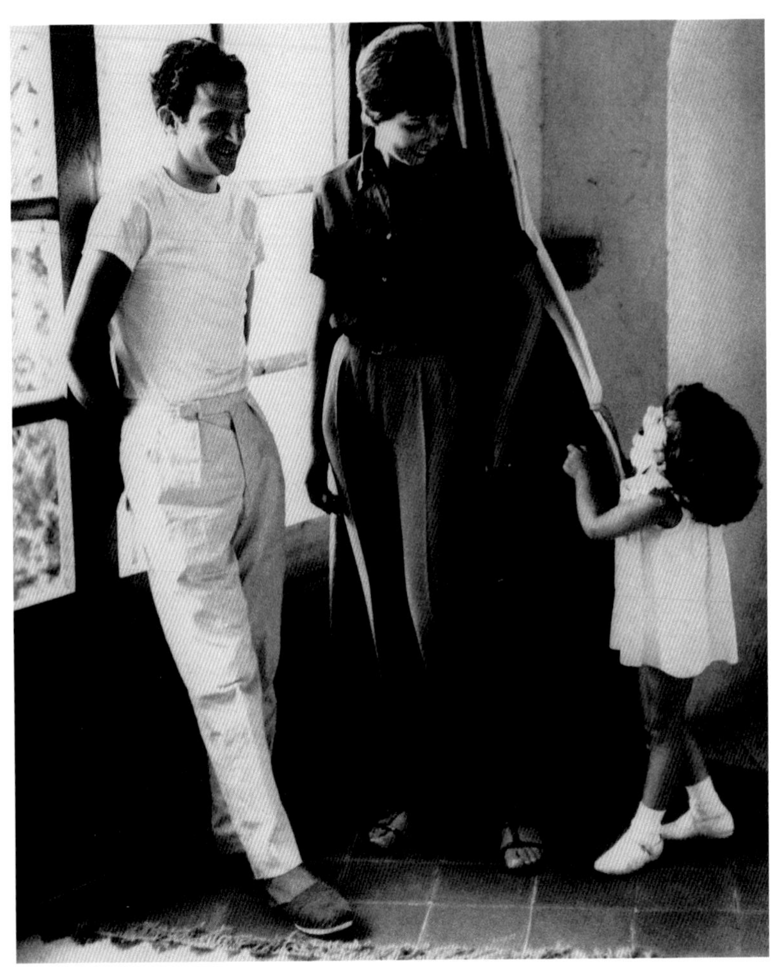

CI-DESSUS
Photo de famille
François en vacances avec son beau-père Roland Truffaut.

CI-DESSUS, À DROITE
Auberge de La Colombe d'Or, à Saint-Paul-de-Vence (juillet 1962)
François Truffaut en compagnie de Madeleine et Laura.

1932 Janine de Monferrand donne naissance à François le 6 février à Paris.

1933 Elle épouse l'architecte Roland Truffaut le 9 novembre. Ce dernier reconnaît l'enfant, né de père inconnu, mais jusqu'à l'âge de dix ans, le petit François est élevé par une nourrice, puis par sa grand-mère maternelle.

1942 La grand-mère maternelle meurt. Le jeune François revient vivre avec sa mère et son beau-père.

1938–1945 François fréquente différentes écoles. À l'âge de douze ans, c'est déjà un grand cinéphile. Il abandonne ses études (et le domicile familial) pour s'essayer à divers petits boulots. Il commence à fréquenter les ciné-clubs. Sa tentative de fonder son propre ciné-club en 1947 avec son grand ami Robert Lachenay est un désastre financier.

1948 Criblé de dettes, Roland Truffaut livre son fils adoptif à la police et François passe quelque temps dans un centre d'observation pour mineurs délinquants à Villejuif. André Bazin et son épouse Janine l'accueillent sous leur toit et l'aident à trouver du travail.

1950 Les premiers articles de François Truffaut paraissent dans *Elle* et dans d'autres revues et magazines. En octobre, il décide brusquement de s'engager dans l'armée et, à la fin de l'année, il est affecté en Allemagne. Il regrette bientôt sa décision et déserte en juillet 1951. Après plusieurs séjours en prison et à l'hôpital, il est réformé. André Bazin vole à nouveau à son secours.

1953 Avec l'aide d'André Bazin, il commence à publier dans les *Cahiers du cinéma*. En janvier 1954, son désormais célèbre article « Une certaine tendance du cinéma français » paraît dans les *Cahiers*. Il y attaque la vieille garde et estime que le cinéma français doit prendre une autre direction.

1954 François Truffaut réalise son premier film, un court métrage de huit minutes intitulé *Une visite*. Ce film ne sera jamais distribué.

1955–1956 Il travaille occasionnellement en tant qu'assistant du réalisateur italien Roberto Rossellini. Aucun des projets auxquels il participe n'aboutit, mais cette collaboration lui est très profitable.

1956 Au Festival du film de Venise, François Truffaut rencontre Madeleine Morgenstern, fille d'un célèbre producteur-distributeur. Le couple se marie le 29 octobre 1957 et a deux filles, Laura et Eva. Malgré leur divorce, François continuera à entretenir des liens étroits avec Madeleine jusqu'à sa mort.

1957 Pendant l'été, Truffaut tourne *Les Mistons* (23 minutes) à Nîmes, en grande partie grâce aux fonds fournis (à son insu) par le père de Madeleine. Pour réaliser ce film, il fonde sa propre maison de production : Les Films du Carrosse. Celle-ci lui permettra, tout au long de sa carrière, de préserver son indépendance. *Les Mistons* est présenté hors compétition au Festival du court métrage de Tours en novembre et au Festival international du film de Bruxelles en février 1958 où il remporte le prix du Meilleur réalisateur.

1959 Le succès des *Mistons* conduit Truffaut à abandonner son activité de critique de cinéma pour se consacrer entièrement à la réalisation. Il commence alors *Les Quatre Cents Coups*, qui est retenu pour la sélection officielle du Festival de Cannes. Le succès est foudroyant : le film remporte le grand prix de la mise en scène. La Nouvelle Vague est née. Jean-Pierre Léaud et son personnage Antoine Doinel deviennent célèbres du jour au lendemain.

1960 Truffaut se rend aux États-Unis pour recevoir le prix du Meilleur film étranger de la critique new-yorkaise (pour *Les Quatre Cents Coups*). Il rencontre Helen Scott, qui deviendra sa traductrice-interprète pour son recueil d'entretiens avec Alfred Hitchcock. Le succès commercial des *Quatre Cents Coups* permet à Truffaut de se lancer dans de nouvelles expériences. Son deuxième long métrage, *Tirez sur le pianiste*, avec Charles Aznavour dans le rôle principal, sort le 25 novembre. L'accueil de la critique est mitigé.

1962–1966 Désormais reconnu comme l'un des jeunes turcs du cinéma français, Truffaut réalise quatre films en cinq ans, en commençant par *Jules et Jim*, salué par la critique, et en terminant par *Fahrenheit 451*, film moins apprécié, tourné au Royaume-Uni en 1966, avec Julie Christie comme tête d'affiche. Entre les deux viennent *Antoine et Colette* (29 minutes), deuxième volet de la saga Doinel et contribution de Truffaut au film à sketches *L'Amour à vingt ans* (1962), et *La Peau douce* (1964).

1967 Fruit de cinq années de travail, *Le Cinéma selon Hitchcock* paraît en novembre. Recueil d'entretiens avec Alfred Hitchcock, l'ouvrage remporte immédiatement un franc succès, ce qui réjouit Truffaut qui voit son rêve de publier un livre se réaliser.

1968 *La Mariée était en noir* avec Jeanne Moreau est favorablement accueilli par la critique et le public. Truffaut travaille déjà à *Baisers volés*, troisième volet de la saga Doinel, projeté pour la première fois lors du Festival d'Avignon en août 1968 et autre grand succès du réalisateur. En dehors des plateaux de tournage, la vie de Truffaut s'emballe quand il prend publiquement la défense d'Henri Langlois, démis de ses fonctions de directeur de la Cinémathèque française, et contribue à la fermeture forcée du Festival de Cannes au mois de mai. À la même époque, Truffaut découvre que son père, Roland Lévy, est juif.

1969–1972 Autre période faste au cours de laquelle Truffaut réalise cinq films : *La Sirène du Mississippi* (1969), *L'Enfant sauvage* (1969), le quatrième volet de la saga Doinel *Domicile conjugal* (1970), *Les Deux Anglaises et le Continent* (1971) et *Une belle fille comme moi* (1972). La liaison qu'il avait entamé avec Catherine Deneuve pendant le tournage de *La Sirène du Mississippi* prend fin en décembre 1970, le plongeant dans une longue et profonde dépression.

1973 *La Nuit américaine* est couronné de succès et remporte l'oscar du Meilleur film étranger.

1975 Truffaut publie son deuxième livre, *Les Films de ma vie*.

1975–1977 Ayant repris des forces, Truffaut réalise trois films dans la foulée : *L'Histoire d'Adèle H.* (1975), *L'Argent de poche* (1976) et *L'Homme qui aimait les femmes* (1977). Truffaut joue le rôle de Claude Lacombe dans *Rencontres du troisième type* de Steven Spielberg.

1978 *La Chambre verte*, qui sort en avril, est un échec.

1979 En janvier, *L'Amour en fuite* vient conclure avec succès la saga Doinel.

1980 *Le Dernier Métro*, avec Catherine Deneuve et Gérard Depardieu, remporte un succès critique et commercial fulgurant et reçoit dix récompenses lors de la cérémonie des césars.

1981 Gérard Depardieu joue aux côtés de Fanny Ardant dans *La Femme d'à côté*.

1983 *Vivement dimanche !* sort en août et reçoit un accueil favorable de la critique. En septembre, Fanny Ardant, devenue la compagne de Truffaut, donne naissance à une fille, Joséphine. Juste avant cet heureux événement, Truffaut tombe malade.

1984 Truffaut meurt le 21 octobre à l'hôpital américain de Neuilly, à l'âge de 52 ans.

CI-DESSUS
Robert Lachenay dans la rue François Truffaut

CI-DESSOUS, À GAUCHE
Alfred Hitchcock et François Truffaut
Truffaut rencontre Hitchcock pour la première fois sur le tournage de *La Main au collet* en 1954.

CI-DESSOUS
Sur le tournage du *Déjeuner sur l'herbe* (1959)
Truffaut s'est lié d'amitié avec Jean Renoir pendant le tournage de *French Cancan* en 1955.

Filmographie

Une visite *(1954)*
Équipe technique : ***Réalisation et scénario*** François Truffaut. ***Producteur et assistant de réalisation*** Robert Lachenay. ***Photographie*** Jacques Rivette. ***Montage*** Alain Resnais. NB, 7 min 40 s.
Interprétation : Francis Cognany, Florence Doniol-Valcroze, Laura Mauri, Jean-José Richer.
Une visite est un court métrage racontant l'histoire d'une jeune femme qui loue une chambre à un jeune inconnu.

Les Mistons *(1957)*
Équipe technique : ***Réalisation et scénario*** François Truffaut, d'après la nouvelle éponyme de Maurice Pons tirée du recueil *Les Virginales.* ***Production*** Robert Lachenay. ***Assistants de réalisation*** Claude de Givray et Alain Jeannel. ***Musique*** Maurice Le Roux. ***Photographie*** Jean Malige. ***Montage*** Cécile Decugis. NB, 23 min.
Interprétation : Gérard Blain (Gérard), Bernadette Lafont (Bernadette).
Les Mistons est un court métrage retraçant les aventures d'un couple d'amoureux tourmenté par une bande de garnements le temps d'un été en Provence.

Une histoire d'eau *(1958)*
Équipe technique : ***Réalisation*** François Truffaut. ***Production*** Pierre Braunberger. ***Directeur de production*** Roger Fleytoux. ***Scénario et montage*** Jean-Luc Godard. ***Photographie*** Michel Latouche. ***Son*** Jacques Maumont. NB, 18 min.
Interprétation : Jean-Claude Brialy (l'homme), Caroline Dim (la femme).
Une histoire d'eau est un court métrage entamé par François Truffaut et achevé par Jean-Luc Godard, filmé dans la région parisienne pendant les inondations.

Les Quatre Cents Coups *(1959)*
Équipe technique : ***Réalisation et scénario*** François Truffaut. ***Producteur exécutif*** Georges Charlot. ***Assistant de réalisation*** Philippe de Broca, assisté d'Alain Jeannel, Francis Cognany et Robert Bober. ***Photographie*** Henri Decae, assisté de Jean Rabier et Michèle de Possel. ***Son*** Jean-Claude Marchetti, assisté de Jean Labussière. ***Musique*** Jean Constantin. ***Montage*** Marie-Josèphe Yoyotte, assistée de Cécile Decugis. NB, 93 min.
Interprétation : Jean-Pierre Léaud (Antoine Doinel), Claire Maurier (la mère), Albert Rémy (le beau-père), Patrick Auffay (René), Guy Decomble (l'instituteur), Jeanne Moreau (la dame au chien).
Les Quatre Cents Coups est une comédie dramatique racontant les tribulations d'Antoine Doinel, enfant mal aimé par sa mère et son beau-père, dans le Paris des années 1950.

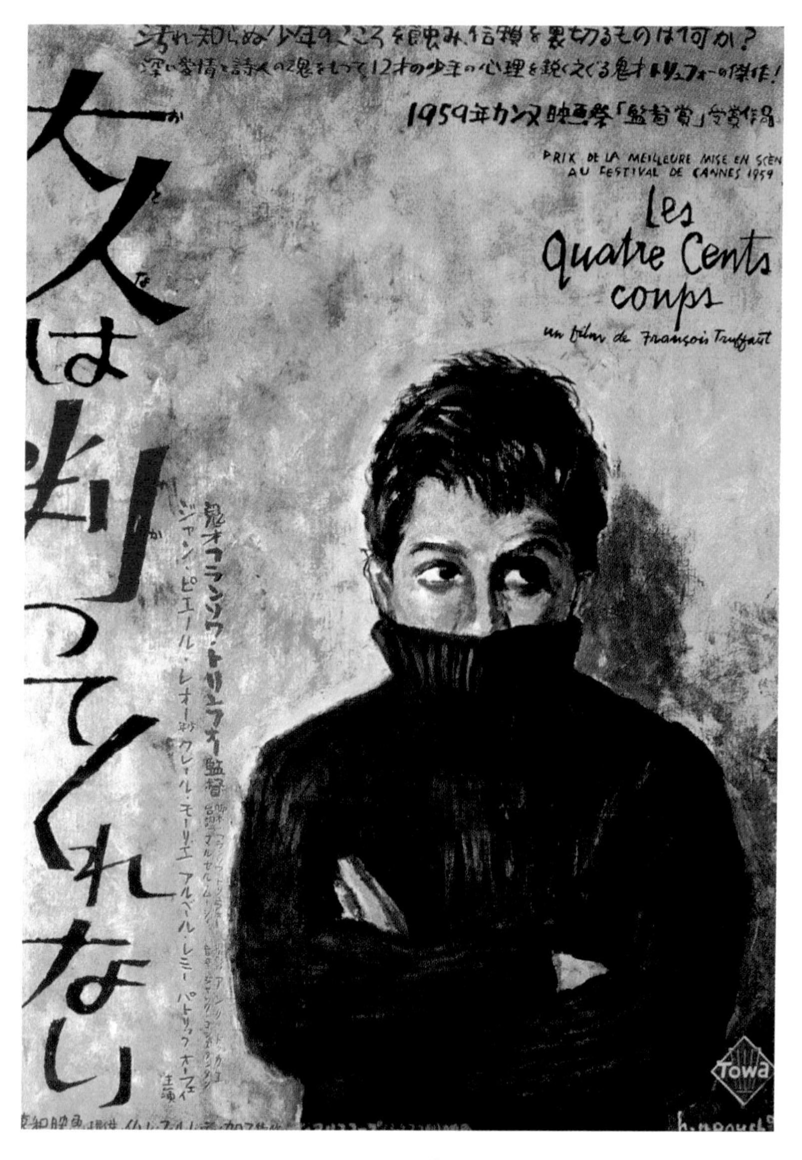

Tirez sur le pianiste *(1960)*
Équipe technique : ***Réalisation*** François Truffaut. ***Production*** Pierre Braunberger. ***Directeurs de production*** Serge Komor et Roger Fleytoux. ***Assistants de réalisation*** Francis Cognany et Robert Bober. ***Scénario*** François Truffaut et Marcel Moussy, d'après le roman éponyme de David Goodis. ***Photographie*** Raoul Coutard. ***Montage*** Claudine Bouché. ***Scripte*** Suzanne Schiffman. ***Son*** Jacques Gallois. ***Musique*** Georges Delerue. ***Direction artistique*** Jacques Mély. NB, 85 min.
Interprétation : Charles Aznavour (Charlie Koller), Marie Dubois (Léna), Nicole Berger (Thérésa), Michèle Mercier (Clarisse), Albert Rémy (Chico), Serge Davri (Plyne), Richard Kanayan (Fido).
Tirez sur le pianiste est un thriller décalé retraçant les amours tragiques d'un ancien concertiste reconverti en pianiste de bar.

Jules et Jim *(1962)*
Équipe technique : ***Réalisation*** François Truffaut. ***Producteur exécutif*** Marcel Berbert. ***Assistants de réalisation*** Georges Pellegrin et Robert Bober. ***Scénario*** François Truffaut et Jean Gruault, d'après le roman éponyme d'Henri-Pierre Roché. ***Photographie*** Raoul Coutard. ***Musique*** Georges Delerue. ***Montage*** Claudine Bouché. NB, 100 min.
Interprétation : Jeanne Moreau (Catherine), Oskar Werner (Jules), Henri Serre (Jim), Boris Bassiak (Albert), Vanna Urbino (Gilberte), Sabine Haudepin (Sabine).
Jules et Jim est un drame psychologique centré sur un triangle amoureux évoluant entre Paris

et l'Allemagne à l'époque de la Première Guerre mondiale.

Antoine et Colette *(1962)*

Sketch du film *L'Amour à vingt ans* (1962).
Équipe technique : ***Réalisation et scénario*** François Truffaut. ***Producteur exécutif*** Philippe Dussart. ***Directeur de production*** Pierre Roustang. ***Assistant de réalisation*** Georges Pellegrin. ***Photographie*** Raoul Coutard. ***Montage*** Claudine Bouché. ***Scripte*** Suzanne Schiffman. ***Musique*** Georges Delerue. ***Liaison photographique entre les sketches*** Henri Cartier-Bresson. ***Conseiller artistique*** Jean de Baroncelli. NB, 29 min.
Interprétation : Jean-Pierre Léaud (Antoine Doinel), Marie-France Pisier (Colette), Patrick Auffay (René).
Antoine et Colette est une comédie sentimentale racontant la suite des aventures d'Antoine Doinel, désormais adolescent et amoureux de Colette.

La Peau douce *(1964)*

Équipe technique : ***Réalisation*** François Truffaut. ***Producteur exécutif*** Marcel Berbert. ***Directeur de production*** Georges Charlot. ***Assistant de réalisation*** Jean-François Adam. ***Scénario*** François Truffaut et Jean-Louis Richard. ***Photographie*** Raoul Coutard. ***Montage*** Claudine Bouché. ***Scripte*** Suzanne Schiffman. ***Musique*** Georges Delerue. NB, 115 min.
Interprétation : Françoise Dorléac (Nicole), Jean Desailly (Pierre Lachenay), Nelly Benedetti (Franca Lachenay), Sabine Haudepin (Sabine Lachenay).
La Peau douce est une sombre histoire d'adultère et de meurtre inspirée d'un fait divers réel.

Fahrenheit 451 *(1966)*

Équipe technique : ***Réalisation*** François Truffaut. ***Production*** Lewis M. Allen. ***Producteur associé*** Michael Delamare. ***Assistant de réalisation*** Bryan Coates. ***Scénario*** François Truffaut, Jean-Louis Richard, David Rudkin et Helen Scott, d'après le roman éponyme de Ray Bradbury. ***Photographie*** Nicholas Roeg. ***Montage*** Thom Noble. ***Scripte*** Kay Manders. ***Musique*** Bernard Herrmann. ***Son*** Bob McPhee, ***Direction artistique et costumes*** Syd Cain et Tony Walton. Couleur, 113 min.
Interprétation : Oskar Werner (Montag), Julie Christie (Lynda/Clarisse), Cyril Cusack (le capitaine), Anton Diffring (Fabian).
Fahrenheit 451 est un film de science-fiction dépeignant un régime totalitaire où les livres, considérés comme dangereux, sont systématiquement brûlés.

La Mariée était en noir *(1967)*

Équipe technique : ***Réalisation*** François Truffaut. ***Producteur exécutif*** Marcel Berbert. ***Directeur de production*** Georges Charlot. ***Assistants de réalisation*** Jean Chayrou et Roland Thénot. ***Scénario*** François Truffaut et Jean-Louis Richard, d'après le roman éponyme de William Irish. ***Photographie*** Raoul Coutard. ***Montage*** Claudine Bouché, assistée de Yann Dedet. ***Scripte*** Suzanne Schiffman. ***Son*** René Levert. ***Musique*** Bernard Herrmann. ***Direction artistique*** Pierre Guffroy. Couleur, 107 min.
Interprétation : Jeanne Moreau (Julie Kohler), Claude Rich (Bliss), Jean-Claude Brialy (Corey), Michel Bouquet (Coral), Michael Lonsdale (Morane), Charles Denner (Fergus), Daniel Boulanger (Delvaux).
La Mariée était en noir est un thriller psychologique racontant la vengeance d'une femme.

Baisers volés *(1968)*

Équipe technique : ***Réalisation*** François Truffaut. ***Producteur exécutif*** Marcel Berbert. ***Directeur de production*** Roland Thénot. ***Assistant de réalisation*** Jean-José Richer. ***Scénario*** François Truffaut, assisté de Claude de Givray et Bernard Revon. ***Photographie*** Denys Clerval. ***Musique*** Antoine Duhamel. ***Scripte*** Suzanne Schiffman. ***Montage*** Agnès Guillemot. ***Son*** René Levert. ***Direction artistique*** Claude Pignot. Couleur, 90 min.
Interprétation : Jean-Pierre Léaud (Antoine Doinel), Claude Jade (Christine), Delphine Seyrig (Mme Tabard), Harry Max (M. Henri), Michael Lonsdale (M. Tabard).
Baisers volés, troisième volet du cycle Doinel, est une comédie légère racontant la vie et les amours d'Antoine.

La Sirène du Mississippi *(1969)*

Équipe technique : ***Réalisation et scénario*** François Truffaut, d'après le roman éponyme de William Irish. ***Producteur exécutif*** Marcel Berbert. ***Directeurs de production*** Claude Miller et Roland Thénot. ***Assistant de réalisation*** Jean-José Richer. ***Photographie*** Denys Clerval. ***Montage*** Agnès Guillemot, assistée de Yann Dedet. ***Scripte*** Suzanne Schiffman. ***Son*** René Levert. ***Musique*** Antoine Duhamel. ***Direction artistique*** Claude Pignot, assisté de Jean-Pierre Kohut-Svelko. Couleur, 120 min.
Interprétation : Jean-Paul Belmondo (Louis Mahé), Catherine Deneuve (Marion/Julie Roussel), Marcel Berbert (Jardine), Michel Bouquet (Comolli).
La Sirène du Mississippi, thriller psychologique à la Hitchcock, raconte une histoire d'amour et de supercherie sous le soleil de la Réunion et du Midi.

L'Enfant sauvage *(1969)*

Équipe technique : ***Réalisation*** François Truffaut. ***Producteur exécutif*** Marcel Berbert. ***Directeurs de production*** Claude Miller et Roland Thénot. ***Assistants de réalisation*** Suzanne Schiffman et Jean-François Stévenin. ***Scénario*** François Truffaut et Jean Gruault, d'après *Mémoire et rapport sur Victor de l'Aveyron* (1806) de Jean Itard. ***Photographie*** Nestor Almendros, assisté de Philippe Théaudière. ***Musique*** Vivaldi. ***Montage*** Agnès Guillemot, assistée de Yann Dedet. ***Scripte*** Christine Pellé. ***Son*** René Levert. ***Direction artistique*** Jean Mandaroux. NB, 83 min.
Interprétation : François Truffaut (le Dr Itard), Jean-Pierre Cargol (Victor), Françoise Seigner (Mme Guérin), Jean Dasté (le Dr Pinel).
L'Enfant sauvage est un drame inspiré de faits réels retraçant l'éducation d'un enfant abandonné retrouvé dans les forêts de l'Aveyron au début du XIXe siècle.

Domicile conjugal *(1970)*

Équipe technique : ***Réalisation*** François Truffaut. ***Producteur exécutif*** Marcel Berbert. ***Directeurs de production*** Claude Miller et Roland Thénot. ***Assistants de réalisation*** Suzanne Schiffman et Jean-François Stévenin. ***Scénario*** François Truffaut, Claude de Givray et Bernard Revon. ***Photographie*** Nestor Almendros. ***Musique*** Antoine Duhamel. ***Montage*** Agnès Guillemot, Yann Dedet et Martine Kalfon. ***Scripte*** Christine Pellé. ***Son*** René Levert. ***Direction artistique*** Jean Mandaroux. Couleur, 100 min.
Interprétation : Jean-Pierre Léaud (Antoine Doinel), Claude Jade (Christine), Hiroko Berghauer (Kyoko).
Domicile conjugal, quatrième volet du cycle Doinel, raconte la vie quotidienne et les aventures extraconjugales d'Antoine, désormais marié et père de famille.

Les Deux Anglaises et le Continent *(1971)*

Équipe technique : ***Réalisation*** François Truffaut. **Producteur exécutif** Marcel Berbert. ***Directeurs de production*** Claude Miller et Roland Thénot. ***Assistant de réalisation*** Suzanne Schiffman. ***Scénario*** François Truffaut et Jean Gruault, d'après le roman d'Henri-Pierre Roché. ***Photographie*** Nestor Almendros. ***Musique*** Georges Delerue. ***Montage*** Yann Dedet et Martine Barraqué. ***Scripte*** Christine Pellé. ***Son*** René Levert. ***Direction artistique*** Michel de Broin. ***Costumes*** Gitt Magrini. Couleur, 132 min.
Interprétation : Jean-Pierre Léaud (Claude Roc), Kika Markham (Anne Brown), Stacey Tendeter (Muriel Brown), Sylvia Marriott (Mrs Brown), Marie Mansart (Claire Roc), Philippe Léotard (Diurka).
Les Deux Anglaises et le Continent est un drame psychologique dans lequel deux jeunes Anglaises tombent amoureuses du même homme, un écrivain français amateur d'art.

Une belle fille comme moi *(1972)*

Équipe technique : ***Réalisation*** François Truffaut. ***Producteur exécutif*** Marcel Berbert. ***Directeurs de production*** Claude Miller et Roland Thénot. ***Assistant de réalisation*** Suzanne Schiffman. ***Scénario*** François Truffaut et Jean-Loup Dabadie, d'après le roman éponyme de Henry Farrell. ***Photographie*** Pierre-William Glenn et Walter Bal. ***Musique*** Georges Delerue. ***Montage*** Yann Dedet et Martine Barraqué. ***Scripte*** Christine Pellé. ***Son*** René Levert. ***Direction artistique*** Jean-Pierre Kohut-Svelko et Jean-François Stévenin. ***Costumes*** Monique Dury. Couleur, 100 min.
Interprétation : Bernadette Lafont (Camille Bliss), André Dussollier (Stanislas Prévine), Philippe Léotard (Clovis Bliss), Guy Marchand (Sam Golden), Claude Brasseur (Maître Murène), Charles Denner (Arthur).
Une belle fille comme moi est une comédie effrénée

racontant les aventures d'une jeune femme sans scrupules prête à arnaquer et à assassiner ses amants.

La Nuit américaine *(1973)*

Équipe technique : ***Réalisation*** François Truffaut. ***Producteur exécutif*** Marcel Berbert. ***Directeurs de production*** Claude Miller, Roland Thénot et Alex Maineri. ***Assistants de réalisation*** Suzanne Schiffman et Jean-François Stévenin. ***Scénario*** François Truffaut, Jean-Louis Richard et Suzanne Schiffman. ***Photographie*** Pierre-William Glenn et Walter Bal. ***Montage*** Yann Dedet et Martine Barraqué. ***Scripte*** Christine Pellé. ***Son*** René Levert et Harrik Maury. ***Musique*** Georges Delerue. ***Direction artistique*** Damien Lanfranchi. Couleur, 115 min.

Interprétation : François Truffaut (Ferrand), Nathalie Baye (Joëlle), Jean-Pierre Léaud (Alphonse), Jacqueline Bisset (Julie Baker), David Markham (le Dr Nelson), Nike Arrighi (Odile), Valentina Cortese (Séverine), Dani (Liliane), Alexandra Stewart (Stacey).

La Nuit américaine est une comédie dramatique dévoilant les coulisses du cinéma lors d'un tournage.

L'Histoire d'Adèle H. *(1975)*

Équipe technique : ***Réalisation*** François Truffaut. ***Producteur exécutif*** Marcel Berbert. ***Directeurs de production*** Claude Miller, Roland Thénot et Patrick Miller. ***Assistants de réalisation*** Suzanne Schiffman et Carl Hathwell. ***Scénario*** François Truffaut, Jean Gruault et Suzanne Schiffman, assistés de Frances Guille, d'après *Le Journal d'Adèle Hugo* publié par Frances Guille. ***Photographie*** Nestor Almendros. ***Musique*** Maurice Jaubert. ***Montage*** Yann Dedet et Martine Barraqué. ***Scripte*** Christine Pellé. ***Son*** Jean-Pierre Ruh et Michel Laurent. ***Direction artistique*** Jean-Pierre Kohut-Svelko. Couleur, 95 min.

Interprétation : Isabelle Adjani (Adèle Hugo), Bruce Robinson (le lieutenant Pinson), Sylvia Marriott (Mrs Saunders), Joseph Blatchley (le libraire), François Truffaut (l'officier).

L'Histoire d'Adèle H., film biographique sur la fille de Victor Hugo, décrit son amour obsessionnel pour un officier anglais.

L'Argent de poche *(1976)*

Équipe technique : ***Réalisation*** François Truffaut. ***Producteur exécutif*** Marcel Berbert. ***Directeurs de production*** Roland Thénot et Daniel Messere. ***Assistants de réalisation*** Suzanne Schiffman et Alain Maline. ***Scénario*** François Truffaut et Suzanne Schiffman. ***Photographie*** Pierre-William Glenn, assisté de Jean-François Gondre, Florent Bazin et Jean-Claude Vicquery. ***Musique*** Maurice Jaubert. ***Montage*** Yann Dedet et Martine Barraqué. ***Scripte*** Christine Pellé, assistée de Laura Truffaut. ***Son*** Michel Laurent et Michel Brethey. ***Direction artistique*** Jean-Pierre Kohut-Svelko. Couleur, 105 min.

Interprétation : Jean-François Stévenin (Jean-François Richet), Virginie Thévenet (Lydie Richet), Nicole Félix (la mère de Grégory), Francis Devlaeminck (M. Riffle), Tania Torrens (Mme Riffle), Eva Truffaut (Patricia), Laura Truffaut (Madeleine Doinel).

L'Argent de poche est une comédie dramatique sur l'enfance et l'adolescence, racontant la vie d'une école de garçons dans une ville de province.

L'Homme qui aimait les femmes *(1977)*

Équipe technique : ***Réalisation*** François Truffaut. ***Producteur exécutif*** Marcel Berbert. ***Directeur de production*** Roland Thénot, assisté de Philippe Lièvre et Lydie Mahias. ***Assistants de réalisation*** Suzanne Schiffman et Alain Maline. ***Photographie*** Nestor Almendros, assisté d'Anne Trigaux et Florent Bazin. ***Musique*** Maurice Jaubert. ***Montage*** Martine Barraqué. ***Scripte*** Christine Pellé. ***Son*** Michel Laurent et Jean Fontaine. ***Direction artistique*** Jean-Pierre Kohut-Svelko, Pierre Compertz et Jean-Louis Povéda. Couleur, 118 min.

Interprétation : Charles Denner (Bertrand Morane), Brigitte Fossey (Geneviève Bigey), Nelly Borgeaud (Delphine Grezel), Nathalie Baye (Martine Desdoits), Leslie Caron (Véra), Geneviève Fontanel (Hélène).

L'Homme qui aimait les femmes est une comédie retraçant l'histoire de Bertrand Morane, un séducteur invétéré.

La Chambre verte *(1978)*

Équipe technique : ***Réalisation*** François Truffaut. ***Producteur exécutif*** Marcel Berbert. ***Directeurs de production*** Roland Thénot et Geneviève Lefebvre. ***Assistants de réalisation*** Suzanne Schiffman et Emmanuel Clot. ***Scénario*** François Truffaut et Jean Gruault, d'après *L'Autel des morts*, *La Bête dans la jungle* et *Les Amis des amis* de Henry James. ***Photographie*** Nestor Almendros, assisté d'Anne Trigaux et Florent Bazin. ***Musique*** Maurice Jaubert. ***Montage*** Martine Barraqué. ***Scripte*** Christine Pellé. ***Son*** Michel Laurent et Jean-Louis Ugnetto. ***Direction artistique*** Jean-Pierre Kohut-Svelko, Pierre Compertz et Jean-Louis Povéda. Couleur, 94 min.

Interprétation : François Truffaut (Julien Davenne), Nathalie Baye (Cécilia Mandel), Jean Dasté (Bernard Humbert), Jane Lobre (Mme Rambaud).

La Chambre verte, drame sur le thème de la mort et du souvenir, raconte l'amour obsessionnel de Julien Davenne pour sa défunte femme.

L'Amour en fuite *(1979)*

Équipe technique : ***Réalisation*** François Truffaut. ***Producteur exécutif*** Marcel Berbert. ***Directeur de production*** Roland Thénot. ***Assistants de réalisation*** Suzanne Schiffman, Emmanuel Clot et Nathalie Seaver. ***Scénario*** François Truffaut, Suzanne Schiffman, Jean Aurel et Marie-France Pisier. ***Photographie*** Nestor Almendros, assisté de Florent Bazin et Emilia-Pakull-Latorre. ***Musique*** Georges Delerue. ***Montage*** Martine Barraqué. ***Scripte*** Christine Pellé. ***Son*** Michel Laurent. ***Direction artistique*** Jean-Pierre Kohut-Svelko, Pierre Compertz et Jean-Louis Povéda. Couleur, 94 min.

Interprétation : Jean-Pierre Léaud (Antoine Doinel), Claude Jade (Christine), Marie-France Pisier (Colette), Dani (Liliane), Dorothée (Sabine), Daniel Mesguich (Xavier Barnérias), Julien Bertheau (M. Lucien).

L'Amour en fuite, dernier épisode de la saga Doinel, retrouve Antoine au moment de son divorce, prêt pour un deuxième roman et de nouvelles aventures sentimentales.

Le Dernier Métro *(1980)*

Équipe technique : ***Réalisation*** François Truffaut. ***Producteur exécutif*** Jean-José Richer. ***Directeurs de production*** Roland Thénot et Jean-Louis Godroy. ***Assistants de réalisation*** Suzanne Schiffman et Emmanuel Clot. ***Scénario*** François Truffaut, Suzanne Schiffman et Jean-Claude Grumberg. ***Photographie*** Nestor Almendros, assisté de Florent Bazin, Emilia-Pakull-Latorre et Tessa Racine. ***Musique*** Georges Delerue. ***Montage*** Martine Barraqué, Marie-Aimée Debril et Jean-François Giré. ***Scripte*** Christine Pellé. ***Son*** Michel Laurent Michel Mellier et Daniel Couteau. ***Direction artistique*** Jean-Pierre Kohut-Svelko, Pierre Compertz, Jean-Louis Povéda et Roland Jacob. Couleur, 128 min.

Interprétation : Catherine Deneuve (Marion Steiner), Heinz Bennent (Lucas Steiner), Gérard Depardieu (Bernard Granger), Jean Poiret (Jean-Loup Cottins), Jean-Louis Richard (Daxiat), Sabine Haudepin (Nadine Marsac).

Le Dernier Métro est une comédie dramatique qui décrit la vie d'un théâtre parisien sous l'Occupation.

La Femme d'à côté *(1981)*

Équipe technique : ***Réalisation*** François Truffaut. ***Producteur exécutif*** Armand Barbault. ***Directeur de production*** Roland Thénot, assisté de Jacques Vidal et Françoise Héberlé. ***Assistants de réalisation*** Suzanne Schiffman, Alain Tasma et Gilles Loutfi. ***Scénario*** François Truffaut, Suzanne Schiffman et Jean Aurel. ***Photographie*** William Lubtchansky, assisté de Caroline Champetier et Barcha Bauer. ***Musique*** Georges Delerue. ***Montage*** Martine Barraqué, Marie-Aimée Debril et Catherine Dryzmalkowski. ***Scripte*** Christine Pellé. ***Son*** Michel Laurent, Michel Mellier, Jacques Maumont et Daniel Couteau. ***Direction artistique*** Jean-Pierre Kohut-Svelko, Pierre Compertz et Jacques Peisach. Couleur, 106 min.

Interprétation : Gérard Depardieu (Bernard Coudray), Fanny Ardant (Mathilde Bauchard), Henri Garcin (Philippe Bauchard), Michèle Baumgartner (Arlette Coudray), Véronique Silver (Odile Jouve), Roger van Hool (Roland Duguet).

La Femme d'à côté est un drame racontant l'histoire tragique d'un amour passionnel.

Vivement dimanche ! *(1983)*

Équipe technique : ***Réalisation*** François Truffaut. ***Producteur exécutif*** Armand Barbault. ***Directeurs de production*** Roland Thénot et Jacques Vidal. ***Assistants de réalisation*** Suzanne Schiffman, Rosine Robiolle et Pascal Deux. ***Scénario*** François Truffaut, Suzanne Schiffman et Jean Aurel, d'après le roman éponyme de Charles Williams. ***Photographie*** Nestor Almendros, assisté de Florent Bazin et Tessa Racine. ***Musique*** Georges Delerue. ***Montage*** Martine Barraqué, Marie-Aimée Debril et Colette Achouche. ***Scripte*** Christine Pellé. ***Son*** Pierre Gamet, Jacques Maumont, Bernard Chaumeil et Daniel Couteau. ***Direction artistique*** Hilton McConnico. NB, 111 min.

Interprétation : Jean-Louis Trintignant (Julien Vercel), Caroline Sihol (Marie-Christine Vercel), Fanny Ardant (Barbara Becker), Philippe Laudenbach (Maître Clément), Philippe Morier-Genoud (le commissaire Santinelli), Jean-Louis Richard (Louison).

Vivement dimanche ! est une comédie policière dans laquelle un agent immobilier, accusé à tort de meurtre, est sauvé par sa secrétaire, jeune femme belle et débrouillarde.

Bibliographie

Bibliographie

- **Waltz (Eugene P.)**, *François Truffaut, A Guide to References and Resources*, G. K. Hall and Co., 1982.

Livres de François Truffaut

- *Le Cinéma selon Hitchcock* (en collaboration avec Helen Scott), Robert Laffont, 1966. Nouvelle édition revue et augmentée sous le titre *Hitchcock/Truffaut*, Ramsay, 1984.
- *Les Aventures d'Antoine Doinel*, Mercure de France, 1970. Nouvelle édition : Ramsay Poche Cinéma, 1987.
- *L'Enfant sauvage*, Éditions G.P., 1970.
- *La Nuit américaine*, suivi du *Journal de Fahrenheit 451*, Seghers, 1974.
- *Les Films de ma vie*, Flammarion, 1975.
- *L'Argent de poche, cinéroman*, Flammarion, Paris, 1976.
- *L'Homme qui aimait les femmes, cinéroman*, Flammarion, 1977.
- *Truffaut par Truffaut*, Dominique Rabourdin (éd.), Éditions du Chêne, 1985.
- *Le Plaisir des yeux*, Flammarion, 1987.
- *Les Mistons*, Éditions Ciné Sud, 1987.
- *La Petite Voleuse*, Éditions Christian Bourgeois, 1988.
- *Correspondance*, Jacob (G.) et de Givray (C.) (éd.), 5 Continents/Hatier, 1988 ; Livre de poche, 1993.
- *François Truffaut Letters*, Jacob (G.) et de Givray (C.) (éd.), traduit par Gilbert Adair, Faber & Faber, 1989.
- *Jules et Jim*, Éditions du Seuil, 1995.

Livres sur François Truffaut et ses films

- **Allen (Don)**, *Finally Truffaut*, Secker and Warburg, 1985.
- **Auzel (Dominique)**, *Truffaut, Les Mille et Une Nuits américaines*, Henri Veyrier, 1990.
- **Bastide (Bernard)**, **Truffaut (François)**, *Les Mistons*, Ciné Sud, 1987.
- **Bonnafons (Elizabeth)**, *François Truffaut*, L'Âge d'homme, 1981.
- **Braudy (Leo) (éd.)**, *Focus on Shoot the Piano Player*, Prentice-Hall, 1972.
- **Collet (Jean)**, *Le Cinéma de François Truffaut*, Lherminier, 1977.
- **Collet (Jean)**, *François Truffaut*, Lherminier, 1985.
- **Dalmais (Hervé)**, *Truffaut*, Rivages Cinéma, 1987.
- **Desjardins (Aline)**, *Aline Desjardins s'entretient avec François Truffaut*, Ramsay, 1987.
- **Dixon (Wheeler Winston)**, *The Early Film Criticism of François Truffaut*, Indiana University Press, 1993.
- **Fanne (Dominique)**, *L'Univers de François Truffaut*, Le Cerf, 1972.
- **Fischer (Robert) (éd.)**, *Monsieur Truffaut, wie haben Sie das gemacht ?*, Wilhelm Heyne, 1993.
- **Fischer (Robert)**, *Vivement Truffaut !*, CICIM, n° 41, novembre 1994.
- « François Truffaut », *Cinématographe*, n° 105, décembre 1984.
- **Gillain (Anne)**, *Le Cinéma selon François Truffaut*, Flammarion, 1988.
- **Gillain (Anne)**, *François Truffaut : le secret perdu*, Hatier, 1991.
- **Guérif (François)**, *François Truffaut*, Edilig, 1988.
- **Holmes (Diana) et Ingram (Robert)**, *François Truffaut*, Manchester University Press, 1998.
- **Insdorf (Annette)**, *François Truffaut*, Boston, Twayne Publishers, 1978 ; Cambridge University Press, 1994 (traduit en français sous le titre : *François Truffaut, le cinéma est-il magique ?*, Ramsay, 1989).
- **Insdorf (Annette)**, *François Truffaut*, Gallimard Collection « Découvertes », 1996.
- **Le Berre (Carole)**, *François Truffaut*, Cahiers du cinéma, 1993.
- « Le Roman de François Truffaut », numéro spécial des *Cahiers du cinéma*, décembre 1984.
- **Monaco (James)**, *The New Wave*, Oxford University Press, 1976.
- **Nicholls (David)**, *François Truffaut*, B.T. Batsford, 1993.
- **Petrie (Graham)**, *The Cinema of François Truffaut*, A.S. Barnes/A. Zwemmer, 1970.
- **Simondi (Mario) (éd.)**, *François Truffaut*, La Casa Usher, 1982.

Biographies

- **Cahoreau (Gilles)**, *François Truffaut 1932–1984*, Julliard, 1989.
- **De Baecque (Antoine) et Toubiana (Serge)**, *François Truffaut*, Gallimard, 1996 ; Alfred A. Knopf, 1999.

Sites internet

- www.imdb.com
- iihm.imag.fr/truffaut/